絶対拾う！つなげる！

バレーボール リベロ 必勝のポイント50 新装版

元全日本男子バレーボール選手
酒井大祐 監修

メイツ出版

はじめに

リベロ制度が採用されたのは、1998年。今から20年ほど前のことです。小学２年からバレーボールを始め、ずっとアタッカーだった私が、初めてリベロになったのは大学１年の時（2000年）でした。

当初は、守備の要であるリベロというポジションの重圧がのしかかり、どうしたらチームの勝利に貢献できるか、悩む日々を送っていました。コート上に一つしかないポジションをつかみ、試合に出るために必死で技術力を磨いてきました。

けれども、年齢を重ねるとともに私はあることに気づきました。リベロというポジションは、個人の技術力だけを磨いても、試合に勝てない。個の技術力には、限界がある、と。バレーボールは、ボールをつなぐ競技です。チームの１人１人がそれぞれの役割を全うし、組織的な動きをそろえることが、強いチームの要素となります。

コートで組織的な動きを統括するのが、私はリベロというポジションだと思っています。リベロは、コートの中と外をつなぐ重要なポジションでもあり、チームとしての最後の砦でもあるのです。

この本では、コートのキーマンであるリベロの能力が上がるコツと組織として機能するためのポイントをまとめました。たとえ個人スキルが長けていなくても、ディグやサーブレシーブは上げられます。

今回の改訂版では、コーチとして培った視点を加筆しました。１本でも多くディグやサーブレシーブを上げたいと葛藤しているバレーボーラーの皆さんにぜひ読んでいただきたいです。

酒井大祐

この本の使い方

この本では、バレーボールの守備専門のポジション・リベロで上達するためのポイント50を紹介しています。リベロの役割やタイプから、ディグやサーブレシーブの基本フォームのテクニックまで、それらをレベルアップさせるコツを解説しています。さらに守備率が上がるフォーメーションや練習法、トレーニング方法など、リベロに関する知識を一通り網羅しています。

最初から読み進めることが理想ですが、特に自分が知りたい、苦手だから克服したいという項目があれば、そこだけピックアップして実践することも可能です。

各ページには、紹介しているポイントをマスターするために必要なコツが散りばめられています。理解を深めるために必ずこちらもチェックしてください。

さらに巻末には、リベロに関わるルールや、試合で役立つQ＆Aを掲載しています。ぜひ頭の中に叩き込み、ここで覚えたテクニックや戦術をコートで活かしていきましょう。

メインタイトル

このページでマスターするテーマと、テクニックや戦術に関するポイントが見出しになっています。

ポイント
18
ジャンプスパイクサーブのサーブレシーブ
腕を身体の前に出し勢いを止める
ポイント!
のディグに近い技術が必要
バーの肩口の延長線上に位置取る
上部に力を入れてボールの勢いを止める
1
ーバーの肩口がどの方向へ向いているか確認
2
の向きに合わせるように構えて準備しておく
ジャンプスパイクサーブは、スパイク同様、打点が高く鋭い球質のボールがくるサーブ。ビッグサーバーの強烈なジャンプスパイクサーブに対してのサーブレシーブは、ディグに近いものがある。それゆえに、ディグのコツ同様、位置取りが重要となってくる。相手サーバーの身体の反り具合、肩のまわし方をよく見て、肩口と腕の方向が一致したら、その延長線上に入る。
ジャンプスパイクサーブを受ける時は、
40

上達ポイント

ページによっては、各コツの中で大切なことを一目でわかるようにまとめています。

コツ

メインタイトルのポイントをマスターするためのコツをピックアップしています。

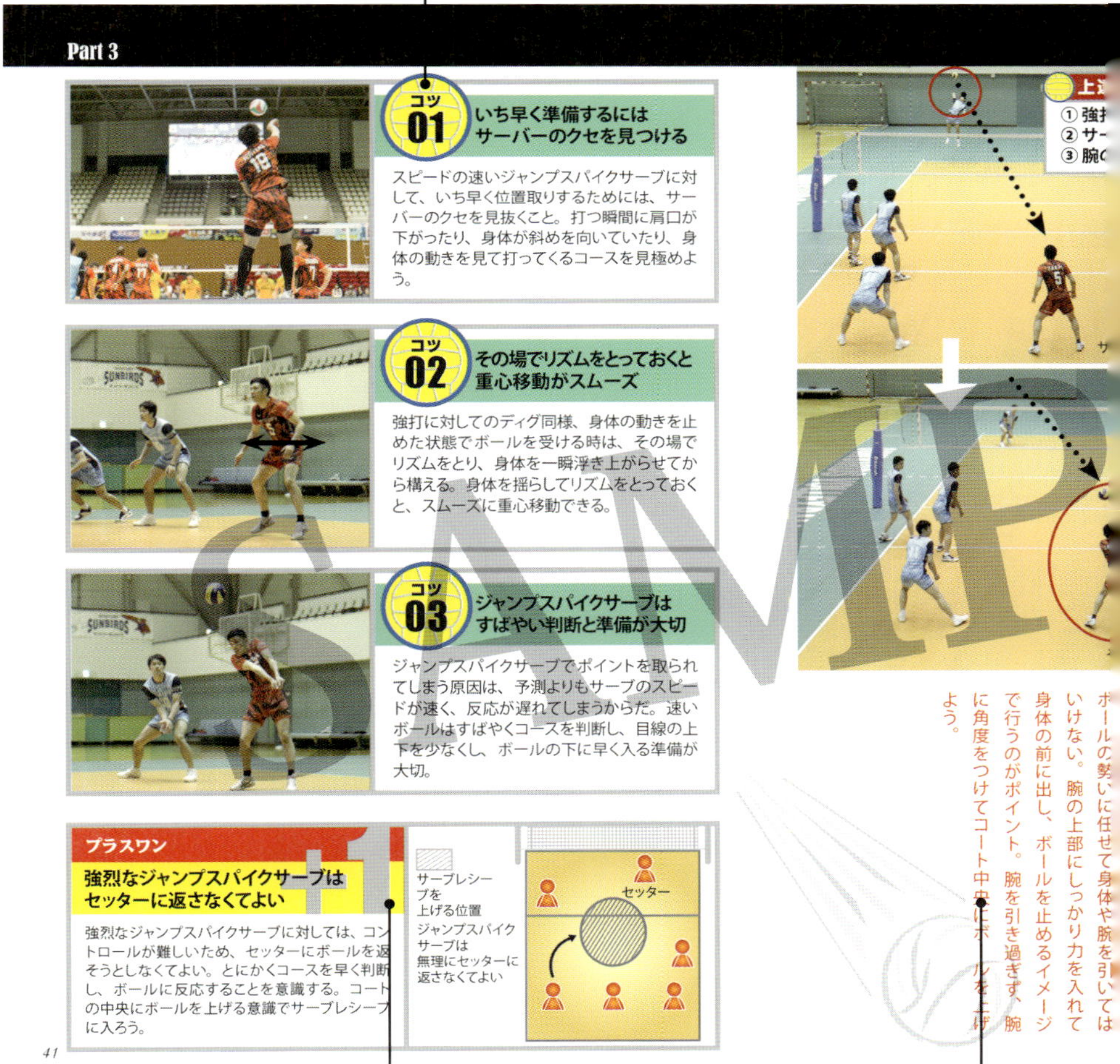
Part 3

コツ01 いち早く準備するにはサーバーのクセを見つける

スピードの速いジャンプスパイクサーブに対して、いち早く位置取りするためには、サーバーのクセを見抜くこと。打つ瞬間に肩口が下がったり、身体が斜めを向いていたり、身体の動きを見て打ってくるコースを見極めよう。

コツ02 その場でリズムをとっておくと重心移動がスムーズ

強打に対してのディグ同様、身体の動きを止めた状態でボールを受ける時は、その場でリズムをとり、身体を一瞬浮き上がらせてから構える。身体を揺らしてリズムをとっておくと、スムーズに重心移動できる。

コツ03 ジャンプスパイクサーブはすばやい判断と準備が大切

ジャンプスパイクサーブでポイントを取られてしまう原因は、予測よりもサーブのスピードが速く、反応が遅れてしまうからだ。速いボールはすばやくコースを判断し、目線の上下を少なくし、ボールの下に早く入る準備が大切。

プラスワン
強烈なジャンプスパイクサーブはセッターに返さなくてよい

強烈なジャンプスパイクサーブに対しては、コントロールが難しいため、セッターにボールを返そうとしなくてよい。とにかくコースを早く判断し、ボールに反応することを意識する。コートの中央にボールを上げる意識でサーブレシーブに入ろう。

サーブレシーブを上げる位置
ジャンプスパイクサーブは無理にセッターに返さなくてよい
セッター

41

ボールの勢いに任せて身体や腕を引いてはいけない。腕の上部にしっかり力を入れて身体の前に出し、ボールを止めるイメージで行うのがポイント。腕を引き過ぎず、腕に角度をつけてコート中央にボールを上げよう。

プラス1

基本のテクニックに加えて、プラスαで知っておくと成長する知識や技術を紹介しています。

解説文

ディグやサーブレシーブを成功させるための必要な動き、知識を丁寧に解説しています。赤字部分は、より重要になってきます。

※本書は2018年発行の『絶対拾う！つなげる！バレーボール リベロ　必勝のポイント50』を元に、必要な情報の確認と装丁の変更を行い、新たに発行したものです。

もくじ

Contents

Part.1
リベロとしての能力を伸ばそう!

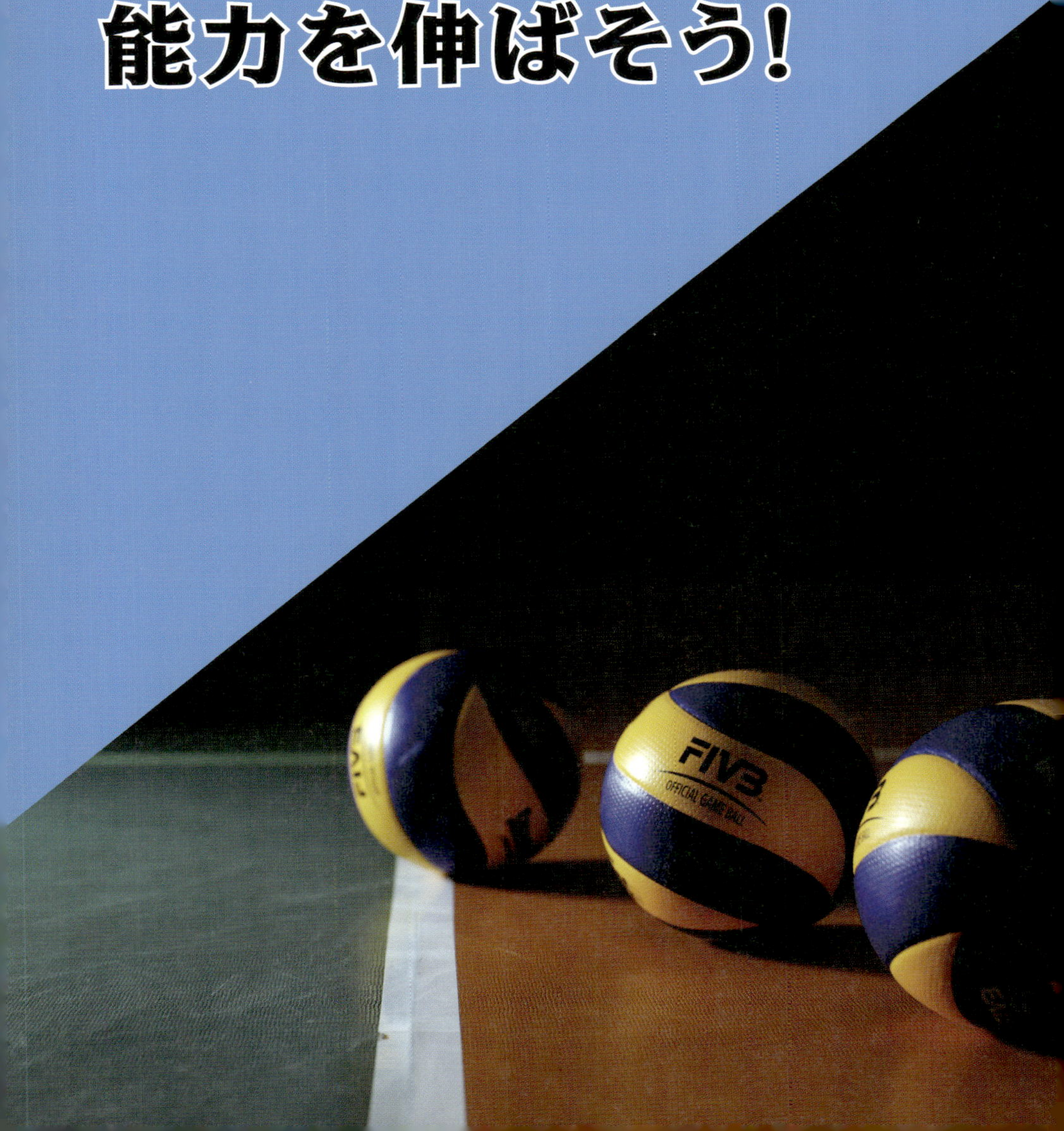

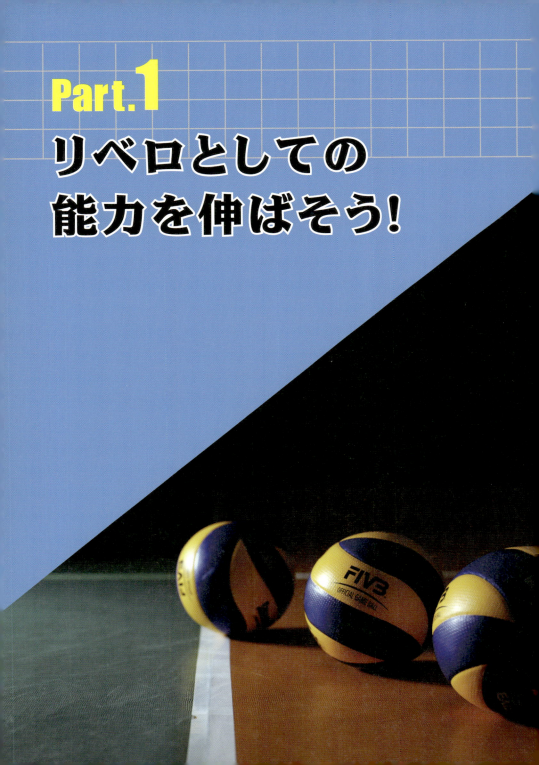

ポイント 01

リベロの本質
チームを動かすコーディネーター

周囲に常に気を配り、チームを盛り上げる

上達ポイント!
① 自分だけのプレーがよくても勝利につながらない
② チーム全体の守備をよくすることを考える
③ 意思統一を図ることが、安定した守備につながる

リベロはルール上でいえば、後衛のポジションに入り、ディグやサーブレシーブを専門に行うポジション。チームのディフェンス強化を担うポジションと言える。

しかし、いざ「ディグを成功させたい」、「サーブレシーブを安定させたい」と思っても、実際にボールがこなければ、チームに貢献することはできない。チームメイトのディグやサーブレシーブが成立して、はじめてボールをつなぐことができる。

よってリベロは、自分1人が守備を成功させるだけではなく、チーム全体が安定した守備を行うためのコーディネーター。監督が思い描いたチームを、仲間とともにコートで表現していくために意思統一を図って、ディフェンス時にチームを動かす。それが、リベロというポジションの醍醐味である。

ポイント 02

リベロのルール

ルールを把握して最大限に活かす

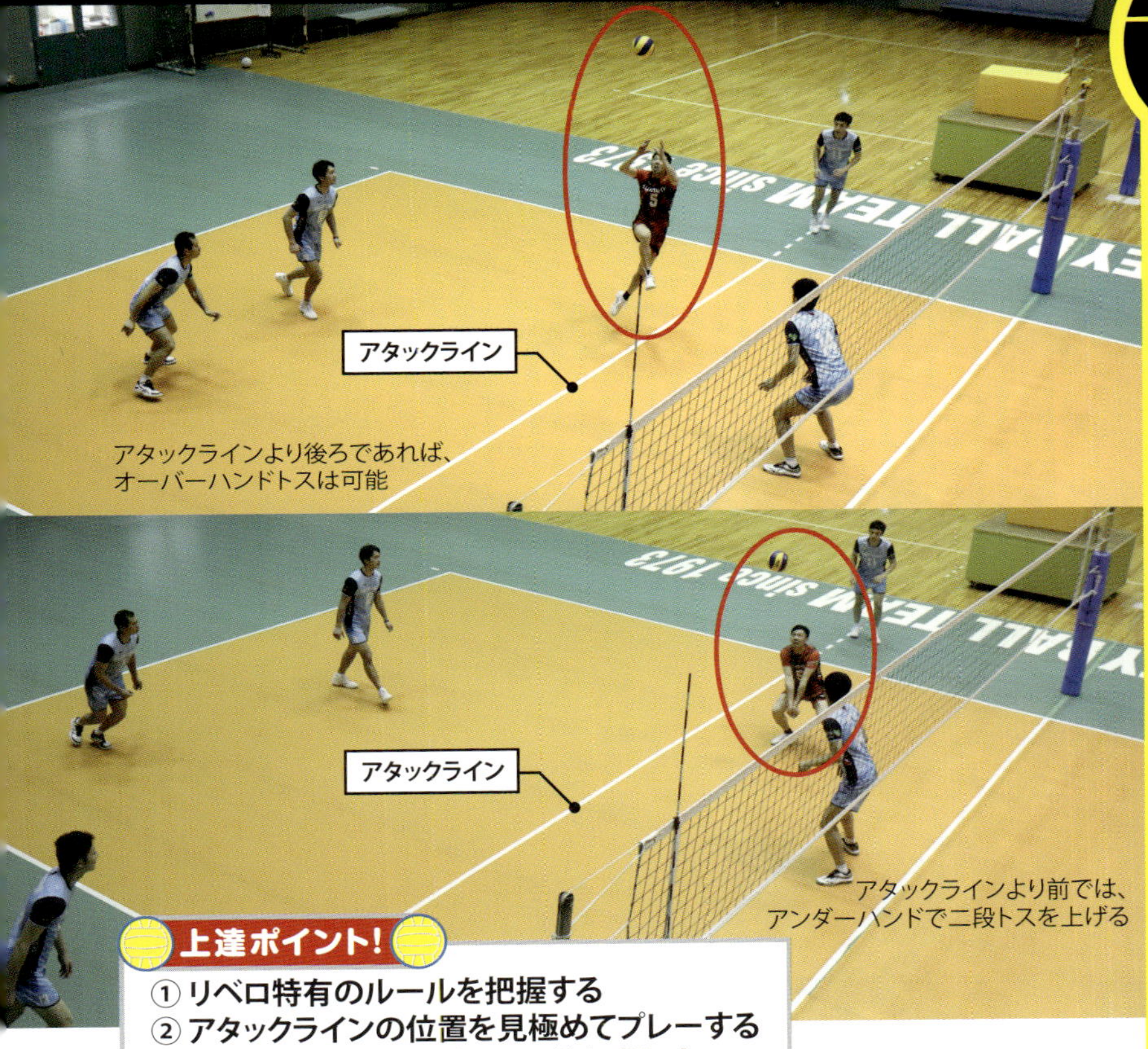
アタックライン
アタックラインより後ろであれば、
オーバーハンドトスは可能
アタックライン
アタックラインより前では、
アンダーハンドで二段トスを上げる

上達ポイント!

① リベロ特有のルールを把握する
② アタックラインの位置を見極めてプレーする
③ ルールを最大限に活用して敵を惑わす

リベロの登録は2名だが、コートに立つのは1名。後衛にいる他の選手であれば、誰とでも交代可能。交代回数の制限はないが、リベロがコートを出る時は、交代した選手またはセカンドリベロと入れ替わる。交代するタイミングは、サーブのホイッスルが吹かれる前となる。

守備専門のポジションであるため、サーブ、ブロックおよびネットより上端のアタックヒットを行うことはできない。リベロが、アタックラインより前でオーバーハンドトスを使った次のプレーではネット上端のアタックヒットは反則となる。アタックラインより後ろであれば、オーバーハンドトスを使ってのプレーは可能。リベロ特有のルールを最大限に活用することが大切となる。

ポイント 03

リベロの起用方法

必要な場面でリベロを使い分ける

サーブレシーブのフォーメーション例

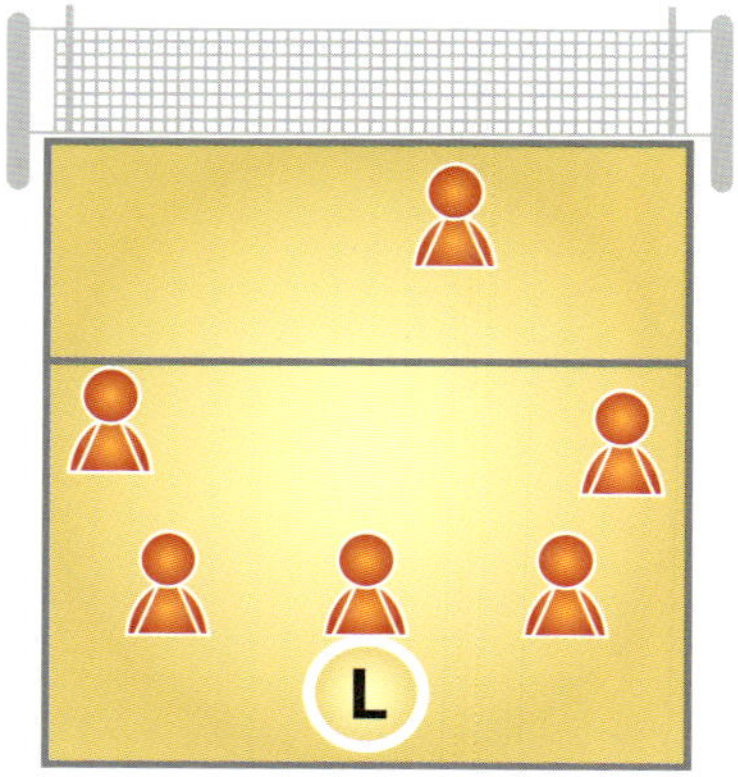

ディグのフォーメーション例

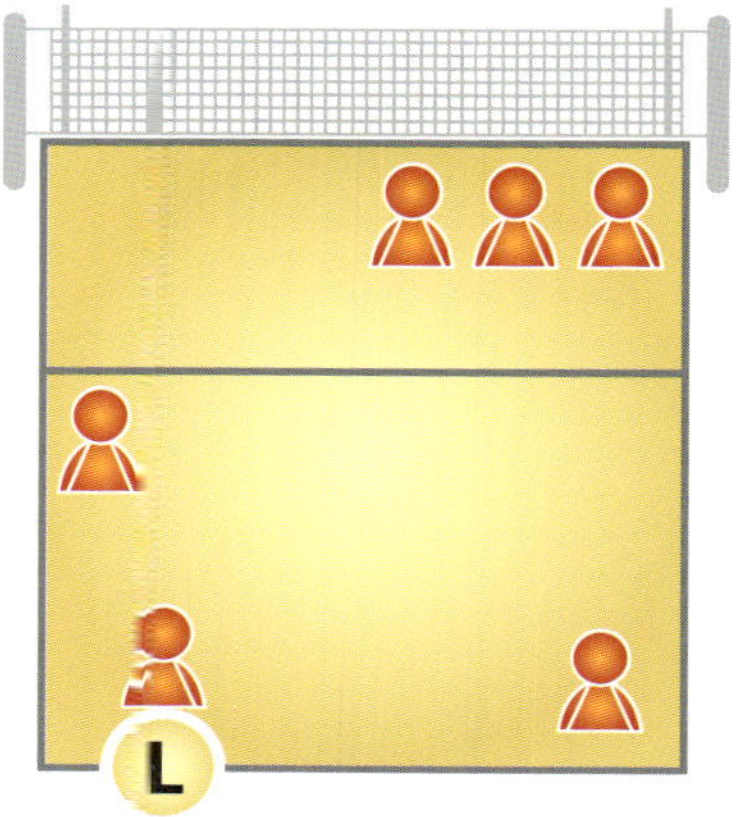

相手のフォーメーションによって
一番多くボールが来る所にリベロを配置する

Ⓛ＝リベロ

上達ポイント！

① リベロを何人、登録するか決める
② それぞれのリベロの特徴を把握する
③ サーブレシーブ、ディグ、それぞれの場面で使い分ける

リベロは、14名中2名登録することができる。1人のリベロを中心に起用するか、2人のリベロを使い分けていくか、どんなチームを作るかによって、リベロの起用方法も多数考えることができる。

オーソドックスなのが、守備を得意としない選手が後衛に入った時にリベロと交代するケース。また、ディグやサーブレシーブをそれぞれ得意とするリベロがそろっているのであれば、場面によって使い分けることもできる。

アタッカー全員が守備をこなせて後衛から攻撃を仕掛けられるのであれば、リベロを使わないローテーションがあってもいいだろう。海外のチームには、セッターが後衛に下がった時にリベロと交代するというケースもある。

リベロのタイプ

リベロのタイプと役割をフィットさせる

タイプ1 職人タイプ

技術力が長けており、きっちり仕事をこなす

タイプ2 リーダータイプ

キャプテンのようにリーダーシップを発揮し、チームをけん引する

タイプ3 ノーマルタイプ

指示されたことに集中する

タイプ4 コーディネータータイプ

視野を広く持ち、チーム全体を動かしていく

一言でリベロといっても、十人十色。いろいろなタイプのリベロが存在する。「技術力が長けており、きっちり仕事をこなす職人タイプ」や「キャプテンのようにリーダーシップを発揮し、チームをけん引するタイプ」「指示されたことに集中するノーマルタイプ」「視野を広く持ち、チームを動かすコーディネータータイプ」という4つのタイプに分かれる。

もちろん技術力があり、仲間ともコーチともコミュニケーションを図ることができ、すべての能力に長けているのが望ましいが、大切なのはチームにフィットしているかどうか。アタッカーからリベロになった選手、上級生あるいは下級生ばかりのチームでリベロになる選手など、チームの状況に応じてリベロとしての役割を見つけよう。

コート上では何が起きても冷静に対応する

ポイント 05

リベロの心構え

リベロに必要なメンタリティ

上達ポイント!

① 常に冷静を保って仕事をこなす
② 自信を持てる練習に取り組む
③ 全体の確率ではなく、どんな時も100%のプレーを目指す

守備の統率を図っていくリベロは、何が起きても動じない、どっしりとした心構えが必要だ。なぜならば、守備の中心であるリベロが、不安や不満を表情に出したら、すぐにサーブで狙われてつけこまれるからだ。チームが劣勢に追い込まれていても、あたふたせずに常に自分の仕事をきっちりこなすメンタリティが重要となる。

そのためには自分のプレーに自信が持てるような練習に日々取り組むこと。たとえば、サーブレシーブ練習で10本中7本、成功してもそれは実戦では意味がない。全体の確率はあくまでも結果論。自分の体調が悪い時でも、チームが厳しい状況に追い込まれていても、常に目の前にきたサーブに対して100%で対応することを意識できる練習に取り組むことが大切だ。練習と試合の意識レベルを同じに保とう。

ポイント 06

リベロとレシーバーをうまく使い分ける

リベロとレシーバーの違い

サーブレシーブのフォーメーション例

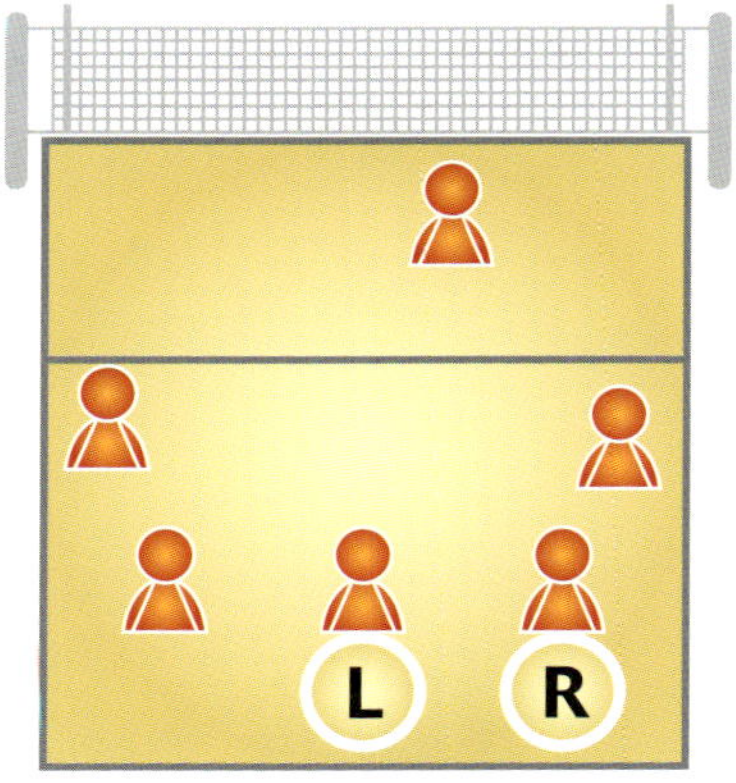

サーブレシーブ時、リベロとレシーバーを並ばせる

ディグのフォーメーション例

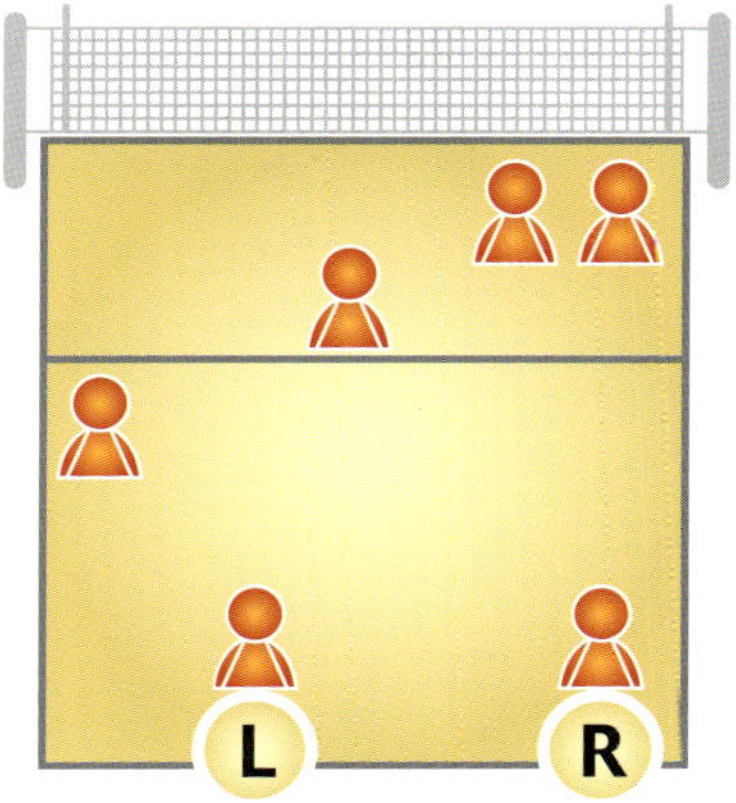

ディグ時、相手の攻撃がきやすい位置にレシーバーを配置

Ⓛ＝リベロ
Ⓡ＝レシーバー

上達ポイント!

① リベロとレシーバーを並ばせて守備を強化
② 試合の途中からレシーバーを起用する
③ 2人そろった時に試合の流れを引き寄せる

リベロとよく似ているポジションとしてあげられるのが、レシーバーだ。リベロ2名以外にも守備を得意としている選手がいれば、レシーバーとして起用する。

同じ守備のスペシャリストでも、リベロとレシーバーの心の持ち方は大きく違う。リベロは試合開始からコートに入れるが、レシーバーは試合の途中から投入される。

レシーバーはウォームアップゾーンで試合を見守りながら身体を動かしているものの、ボールにさわっていない状態でコートに入る。また、試合の流れを変えなければいけない、守備でミスしてはいけないというプレッシャーものしかかる。普段の練習時から試合をイメージしておく。「心」の準備と「身体」の準備をしておくことが重要になる。

チーム全体で準備できるように心がける

ポイント 07

試合前の準備

試合前に相手チームを分析する

上達ポイント!

① 相手チームの特徴やクセを頭に入れておく
② 試合はアクシデントがつきもの
③ どちらに転んでもいい準備をしておく

守護神となるリベロは、対戦する相手チームの情報を頭に入れておく必要がある。どの選手がどんなサーブをどんなコースに打ってくるのか。アタックは誰が中心で、どんなコンビを使ってくるのか、どんなコースが多いのか、どの攻撃の決定率が高いのか。セッターはツー攻撃が多いのか等、ビデオを観て相手の動きやクセを分析しておく。

それに対して、自分はリベロとしてどんなプレーを展開したいかをイメージしておく。決して悪いイメージは持たない。ただし、試合は水物であり、どんなアクシデントが起きるかわからない。レギュラーメンバーが負傷したり、相手のメンバーが予想と違うかもしれない。どちらに転んでもいいように想定して準備をすることが大切。つまりどんな時でも安定したプレーができるように準備をしておく。

ポイント 08

リベロの役割 客観的に試合を見つめてコントロールする

気づいたところはその都度、チームメイトに伝えていく

上達ポイント!

① ベンチから客観的にチームを観察する
② 試合の変化を読みとる
③ 試合の流れを察知して守備を整えていく

バレーボールはネットを挟んだ対人型の競技で相手の戦術に対応していくため、常に試合は変化していく。最初に立てた作戦もどんどん変化していくが、コートの中でプレーしている選手たちは、意外に気づきにくいものだ。

そんな中でも、リベロはベンチとコートを行き来し、試合を客観的に見ることができるポジション。試合の序盤、中盤、終盤、それぞれの勝負所でチーム全体に声をかけていき、気を引き締めていく。

また、バレーボールは1セット25点のラリーポイント制である。最小の得点差としては25―23で勝つことができ、48点のうち23点は相手に与えてもいい計算になる。その時々にリードを奪われミスが続いても、48点のうち最終的に25点をどのように取るか考えて、試合をコーディネートしていく必要がある。

Column

年代別で鍛える能力

周辺視野の広さとコミュニケーション能力

リベロに求められるのは、チームをひとつにまとめるコミュニケーション能力

小中学生、高校生、大学生と年代別で、養う能力は変わってくる。小中学生であれば、下半身を動かす股関節、腕を動かす肩甲骨の柔軟性を高めながら、身体の軸となる体幹を鍛える。高校生からはボールスキルを磨き、ウエイトトレーニングで筋力をつけていく。

リベロにもっとも必要な能力は、やはり周辺視野の広さだ。練習では、常に試合を想定しながら、周囲の選手の動きに目を配ることが大切になってくる。

また、個人の技術能力だけではない。リベロには、チームを動かすためのコミュニケーション能力も必要。ディグの時は前衛の選手と後衛の選手、サーブレシーブの時は左右にいる選手たちと守備範囲を共有する。チームがひとつになるようにまとめていくのが、リベロの仕事である。

Part.2
基本のディグをレベルアップ!

ポイント

09

拾えるボール、拾えないボールを選択する

ディグの本質

すべてのディグを拾おうと思わない！

リベロはコート上の守護神ではあるが、すべてのボールを拾いにいく、という考えは持たなくていい。それぞれの選手の守備の選択肢をしぼり、拾えるボール、拾えないボールを線引きしていくことが、結果的にディグの成功につながる。

守備の選択肢をしぼる要素となるのは、相手チームが攻撃してくる時の「パスやサーブレシーブの返球位置」、「トスの方向と上がる位置」、自陣の「ブロックの移動の仕方枚数、跳ぶ位置」だ。パスが悪くトスがネットから離れていれば、テンポの速い攻撃がくる可能性は低い。また、万全の状態で攻撃を仕掛けてきても、相手アタッカーに対してきっちり『壁』を作ることができれば、攻撃の選択肢をしぼり、コースを想定してレシーバーは位置取りを行うことができる。相手コートの状況を把握することが大切である。

ディグはブロックのいないところに入る

上達ポイント！

① 拾えるボール、拾えないボールを線引きする
② 相手チームのパスとトスの上がる位置を確認
③ ブロックの移動の仕方、枚数、跳ぶ位置を確認する

プラスワン +1

ディグも壁の１枚として相手に意識をさせる

相手のアタッカーにとって、空いているコースにきっちり入っているディガーは嫌な存在。そのためレシーバーを壁の１枚として相手に考えさせ、アタッカーが打ってくる位置を想定しておく。レシーバーは相手の攻撃状況とブロッカーが見える位置を確保し、守備範囲をしぼっていこう。

ポイント 10

ディグの基本フォーム
ボールにすばやく反応できる体勢を作る

位置が決まったら重心を下げて待つ 3

ボールの落下地点に腕を出す 4

「ディグ=低い姿勢」とイメージしている選手も多いのではないだろうか。ディグは、低い姿勢を維持することよりも、ボールに反応できるかが重要だ。相手を観察する時点では、姿勢を低くしなくてよい。リラックスした姿勢でボールを目で追い、どの選手がアタックを打ってくるのか判断したら、構える。トスが近い場合は、ツーアタックやクイックがくる可能性が高いので、早く準備する。ボールにすばやく反応するため、身体を宙に浮かせて着地後、床を強く蹴って動き出す「スプリットステップ」を用い、床の反力を利用してディグに入ろう。

強打はボールのスピードが速く、ボールがきてから拾いにいくようでは、決して間に合わない。相手がどこに打ってくるかをすばやく判断して、構える位置を決める。位置取りが決まったら、身体を動かさないようにしてボールを待つだけ、という状況を作ろう。

相手を観察する時はリラックスして立つ　1

構える位置を想定し重心を下げ始める　2

上達ポイント!

① 相手を観察する時は姿勢を低くしなくてよい
② 位置取りが決まったら、構える
③ 身体を動かさないようにしてボールを待つ

プラスワン +1

ボールがくる直前、ゼロポジションを作る

構える時は、肩幅くらいに足を開いて、力を抜いて構える。コースに入り、ボールがくる直前、身体を一瞬宙に浮かせるようなイメージで力を抜き、腰を落とす。これを身体の力が抜けた状態「ゼロポジション」と言い、ボールにタッチする際、余計な力がかからない。

ポイント 11

強打のディグ

正確な位置取りで強打を『待つ』

1
どこへトスが上がるのか、セッターを観察

2
アタッカーの助走とブロックの状態を確認する

相手の強いスパイクは威力があるため、打たれてから位置取りを行っても決して間に合わない。威力があるスパイクを拾うには、アタックコースを読み外さない正確な位置取りがすべてとなる。

位置取りを決めるためには、相手アタッカーの助走とアプローチをよく観察すること。そのポイントとなるのは、助走の動きとトスが合っているかを確認。トスがどこへ上がるのかをすばやく判断し、相手の攻撃コースを想定して位置取りを行う。

アタッカーの助走とブロックの状態を視野に入れて、アタックボールがくる方向に身体を向ける。この時、一度重心を下げて、身体の力を抜くゼロポジションを作り、あとはボールがくるのを待つだけ。この状態を作ることがディグを成功させるコツだ。

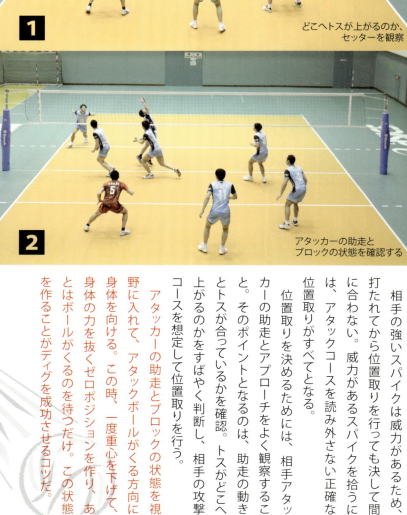

アタックコースを想定して位置取る

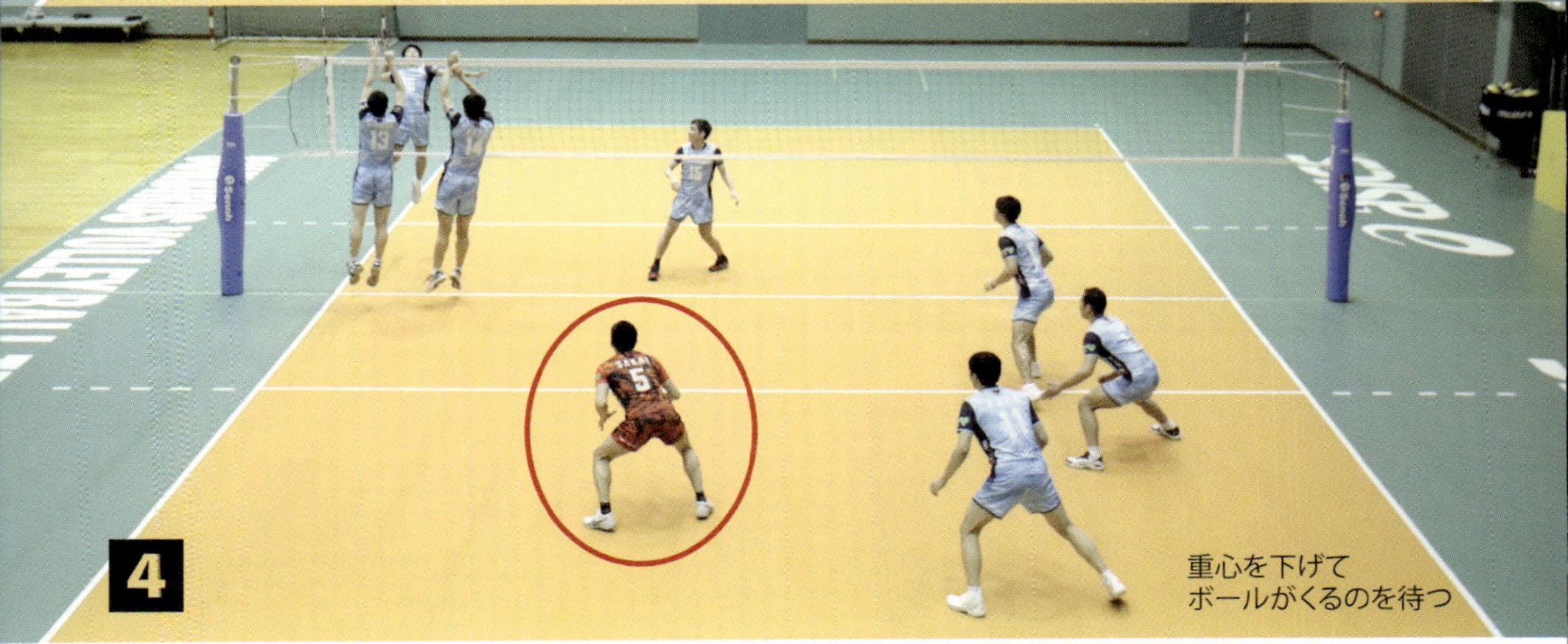

重心を下げて
ボールがくるのを待つ

上達ポイント!

① セッターとアタッカーの状態を確認
② 位置取りが決まったら構える
③ ゼロポジションを作って強打を待つ

プラスワン +1

過去のデータを参考にして位置取りを判断しよう

テンポの速いコンビネーションを多用するチームや得点力の高いアタッカーが揃っているチームは、セッターがトスを上げるまで、迷う時もあるかもしれない。そんな時はローテーションごとのトスアップ傾向や相手セッターの動きを分析しておき、位置取りの参考にしよう。

ポイント 12

身体を止めて腕を伸ばした範囲で行う

身体の左右にきた攻撃のディグ

身体の横にボールがくると
判断したら腕を出し、親指の腹を上に向けて腕を固定する

3

相手のアタッカーが万全な状態で打ってきた強打やクイック攻撃などの決定力のある攻撃は、威力があるため、ボールがきてから移動してディグに入っても間に合わない。また仮にボールにさわることができても、身体の動きを固定できなければ、威力に負けてしまい、ボールコントロールが難しくなるだろう。

ただし、相手の攻撃状態をしっかり観察し、ブロックの位置を頭に入れて正しい位置取りを行っていれば、大きく移動する必要はない。相手の攻撃が少し横にずれて身体の左右にボールがくる時は、腕を伸ばした範囲で行う。

この時の注意点として、決して腕は振らないこと。ボールの勢いを吸収するイメージで、身体を固定して構えた状態で片手ディグを行う。

スパイカーとブロッカーの状態を確認　1

位置取りが決まったら構える　2

上達ポイント!

① 正しい位置取りをしていれば、離れた距離に強打はこない
② 左右にくるボールは、腕を伸ばした範囲で行う
③ 身体の動きを止めて、ボールの勢いを吸収する

プラスワン +1

ストレート側の位置取りは足の位置を意識する

ストレート側で位置取りする時は、ライン付近に外側の足を置く。足の位置を意識して構え、足より外側にきた相手のスパイクはアウトと判断する。外側のボールには手を出さないようにする。

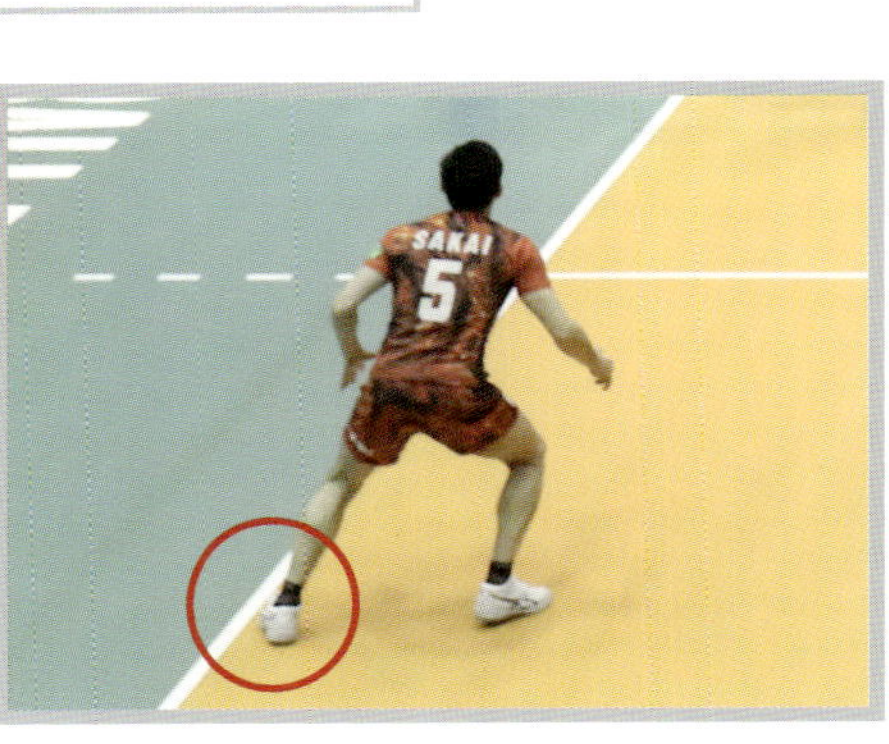

ポイント 13

コート前方はパンケーキで対応する

コート前方にきた攻撃のディグ

2 腕、肩、胸の順で床につけるイメージで飛び込む

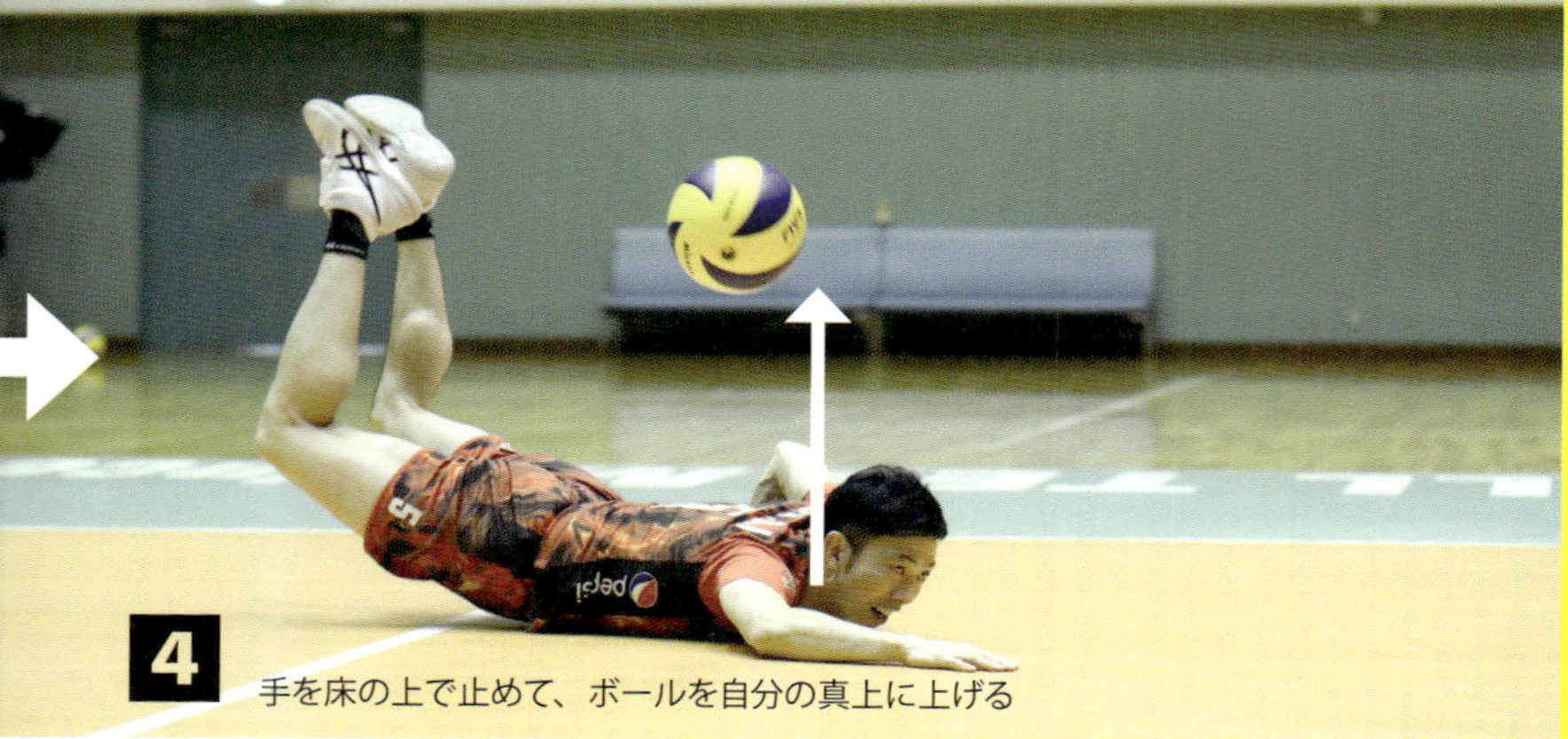

4 手を床の上で止めて、ボールを自分の真上に上げる

相手のトスがネットに寄り、アタッカーが万全な状態で打てない時は、コート前方にフェイントボールがくる可能性が高い。

コート前方のディグは2種類。落下地点に向かってダイブし、床に落ちる寸前にボールをすくい上げるフライングレシーブと、ボールの落下点に合わせるようにして手の甲を滑り込ませるパンケーキがある。

フライングレシーブは、ボールの落下地点を判断しやすいが、ボールコントロールが難しいというデメリットがある。

確実に上げられる技術があればフライングレシーブでも問題ないが、返球の位置がわかりやすいパンケーキのほうが、カバーに入りやすい。次にプレーする人のことを考えて、前方のボールはパンケーキで対応することも選択肢のひとつにしよう。

1 ボールの落下地点を確認して踏み切る

3 腕をまっすぐ伸ばし、手の甲を滑り込ませる

上達ポイント!

① パンケーキを身につける
② ボールの真下に手の甲を滑り込ませる
③ 腕を伸ばして、ボールに力を伝える

プラスワン +1

ボールの落下地点に手の甲を滑り込ませる

ボールの落下地点を予測し、飛び込んだ時にちょうど手の甲がボールの真下にくるようにする。手の甲に当たったボールは、衝撃で跳ね返る。勢いをつけすぎたり、ヒジが曲がっていると、跳ね返らないこともあるので注意。

ポイント 14

顔をブロックするイメージでとらえる

肩より上にきた攻撃のディグ

顔をブロックするように両手を顔の前に出す

3

自分の前にボールをおさめるイメージで勢いを吸収する

4

肩より上にくるボールは、オーバーハンドディグを用いる。とくに手首が強く、ハンドリングに自信がある選手は、オーバーハンドを使える位置取りでフォーメーションを考えておく。

相手チームのパス、トス、アタッカーの状況をふまえ通常よりもコート前方で位置取りしている時は、腕を上げ顔の前方で構えて待つ。

肩よりも上にボールがきたら、顔をブロックするイメージで肘を90度にしてボールの衝撃を抑えよう。手の角度がぶれなければ、必然的にボールは上がる。

強打のボールスピードが速い中でもしっかり反応して、腕の角度がぶれないように注意する。

ブロックとアタックの見えるところで位置取り　1

肩より上にボールがくると判断し
両手を上げる　2

上達ポイント!

① 肩より上にくるボールはオーバーハンドを使う
② 顔をブロックするように手のひらでとらえる
③ 手首から腕にかけての角度がぶれないように意識する

プラスワン +1

オーバーハンドでとれる ベストな位置取りを探そう

オーバーハンドでディグを成功させるには、スパイクの角度と守備位置を照合してベストな位置を把握する。手首が弱く自信のない人は、オーバーハンドを極力使わないよう、コート後方寄りに位置どり、アンダーハンドで対応する。

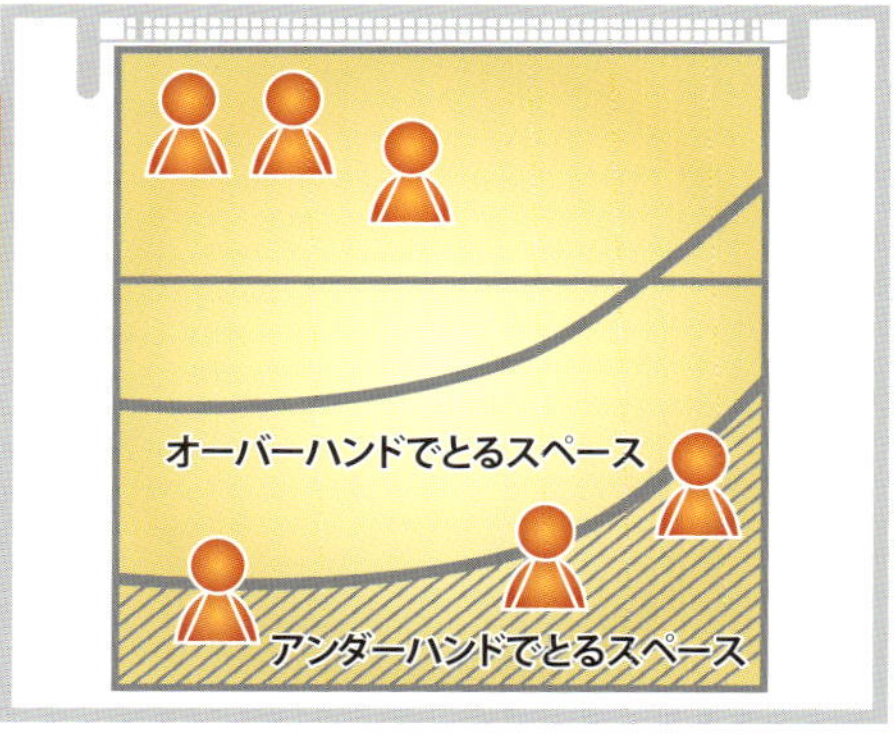

Column

ボールの正面とは

ボールのそばに身体を寄せるイメージ

できるだけ身体（丹田）に近いところでボールをとる

ボールを拾うために重要なことは、ボールの正面に入るということ。正面に入れば、必ずボールは上がる。しかし、そのボールをコントロールするのは、自分ではなく、相手である。相手チームは常に戦術に変化をつけてくるため、ボールの正面に入ることは簡単ではない。

また強いボールは、身体の横でとらえてしまうとはじかれてしまう。ボールをとらえた位置が身体よりも遠ければ遠いほど、力が入らないからだ。身体の横でとらえるにしても、できるだけ身体に近いところでとるという意識を持つとよい。身体＝丹田の部分を「ボールのそばに寄せる」、「ボールに合わす」というイメージで重心移動を行う。そうすることで、身体の軸から腕にも力が伝わり、多少身体の横でボールをとらえても、自分の正面に上げることができる。

Part.3
基本のサーブレシーブをレベルアップ!

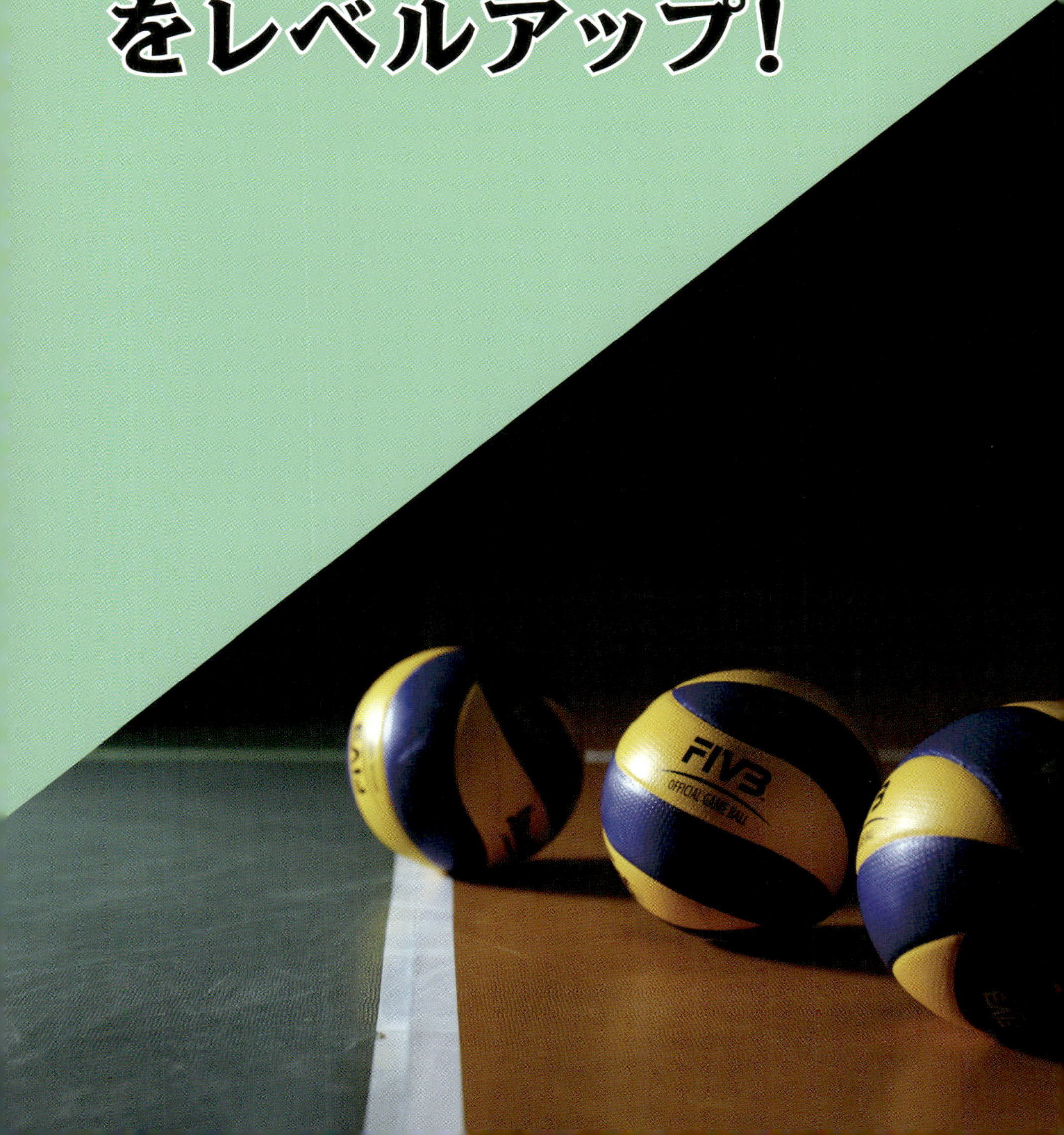

ポイント 15

サーブレシーブの位置取り

サーブのスピードとコースにタイミングを合わす

それぞれの守備範囲を明確にしておく

サーブレシーブは、相手のサーブが飛んできて成立するプレー。相手がどんなサーブを打つかによって、サーブレシーブの準備も変わってくる。どのサーブに対しても共通しているのは、コートの横幅が9メートルあるので3人で守る場合は1人3メートル、4人で守る場合は1人2メートル強が守備範囲の目安となる。腕を伸ばせば、横2メートルの範囲は確実に守ることができるため、必ず手が届く範囲である。

ボールの落下地点を見定め、どの選手がサーブレシーブをとるかすばやく判断し、サーブのスピードやコースにぴたりとタイミングを合わせていくことが大切。重心をスムーズに動かしてボールの正面に入る。また、「自分がとるのか」「他の選手にとらせるのか」を判断して、しっかり声を出していくことも、サーブレシーブを成功させるコツだ。

サーブのスピードやタイミングに合わせて、ボールの正面に入る

上達ポイント!

① サーブレシーブに入る人数によって守備範囲が決まる
② サーブのスピードとコースに身体を合わせる
③ 重心をスムーズに動かして、ボールの正面に入る

プラスワン +1

ボールごとの特徴と変化を把握しておく

ボールメーカーによって皮の素材、皮の合わせ方が違うため、ボールへの空気抵抗による変化がボールの種類によって異なる。国際公認球になっている「ミカサ」のほうが変化しやすく、サーブ効果率が高い。ボールの変化の特徴もしっかり把握しておこう。

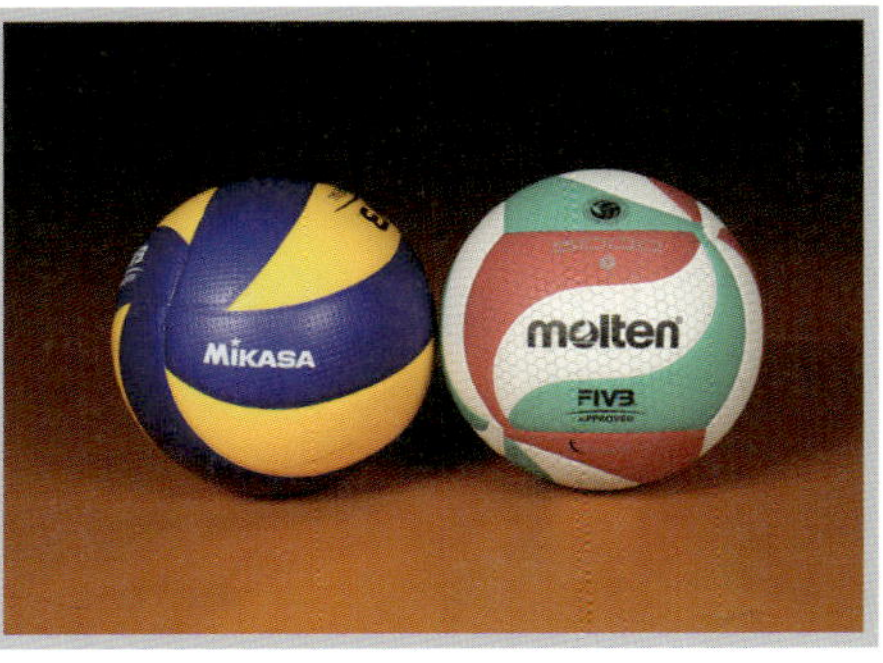

ポイント 16

フローターサーブのサーブレシーブ

ネットを通過してから落下地点を判断する

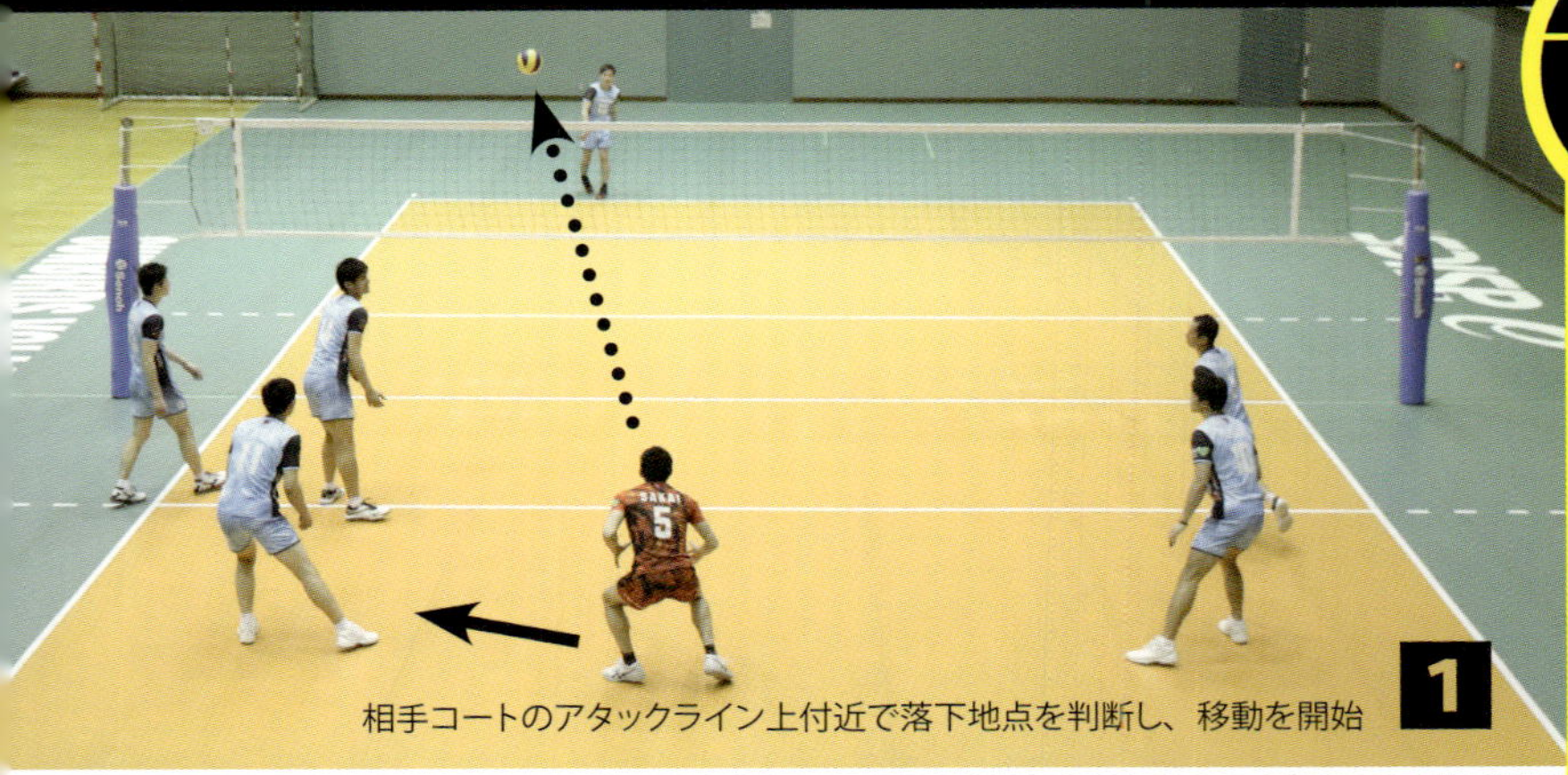

1 相手コートのアタックライン上付近で落下地点を判断し、移動を開始

2 股関節を意識して重心を動かし、正面に入る

コースを狙って打ってくるフローターサーブは、鋭いサーブもあれば、時には緩いサーブもあるのが特徴。そのため、相手のサーブの立ち位置、身体の向きを確認し、スピードサーブを打たれても反応できるように準備しておく。

ボールに変化がかかりやすいフローターサーブは、ボールの落下地点を判断し準備することが大切。相手のサーブの助走とトスの状態、ボールヒットの瞬間を確認する。相手コートのアタックライン上の通過時には、落下地点を判断し移動を開始する。とくに山なりのフローターサーブはスピードも遅いので、待っている時間が長くなるので注意しよう。

この時、ネットを通過してからボールが手元にくるまでの変化を目で追うことが重要。目線が上下しないようにしっかりアゴを引いて、ボールを呼び込める準備をしておこう。

1
相手のサーブの軌道に合わせて
位置取りが決まったら重心を下げる

2
腹の中心を意識してボールがきた方向へ
足を出す

3
目線の高さを変えず、
段関節を意識して足を運ぶ

4
ボールを目で追い、落下地点に入る

上達ポイント!

① ボールの落下地点を判断し準備する
② サーバーの助走、トス、ボールヒットを確認する
③ 相手コートのアタックライン通過時に落下地点を判断し移動

プラスワン +1

守備範囲が確定しても カバーに入る

左右の選手との間を狙われた時は、最終的に自分のところへサーブがこなくても、最後までボールの軌道を追い、落下地点に入る準備をしておく。隣の選手がサーブレシーブをとることが確定しても、後方に寄り、カバーに入ることを心がける。

ポイント 17

ジャンプフローターのサーブレシーブ

助走の歩数と距離から角度を予測する

1 サーバーの助走の歩数と打点の高さを確認

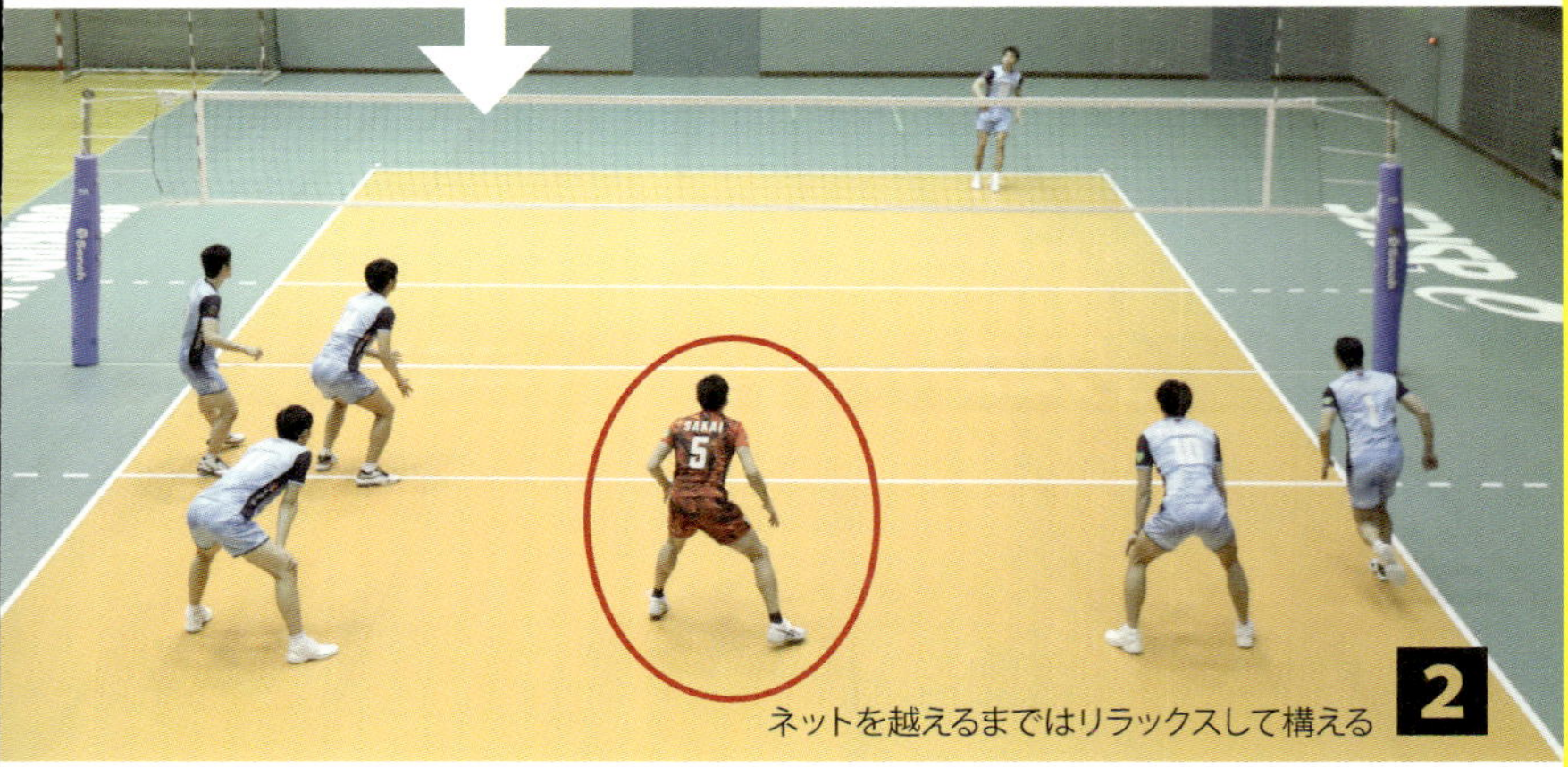

2 ネットを越えるまではリラックスして構える

ジャンプフローターサーブは、相手のサーバーがジャンプしてフローターサーブを打つことで、打点が高くなり、その分、角度が鋭くなる。

サーブレシーブを成功させるコツはフローターサーブの対応と同様だが、相手のサーバーの助走の長さや勢い、スイングスピードの確認がより大切になる。助走に勢いがあればあるほど、ボールに対してもパワーが乗りやすくスピードがつくため、後方に伸びる可能性も高い。サーバーの助走の強さや歩数、ジャンプの高さ、スイングの仕方、スピードなどを視野に入れて、位置取りを判断していこう。

スイングが速ければ、サーブにもスピードが出る傾向があり、スイングが遅ければ、コート前方を狙ってくる可能性がある。

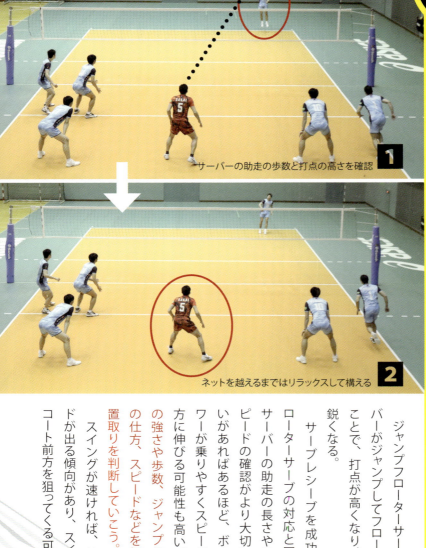

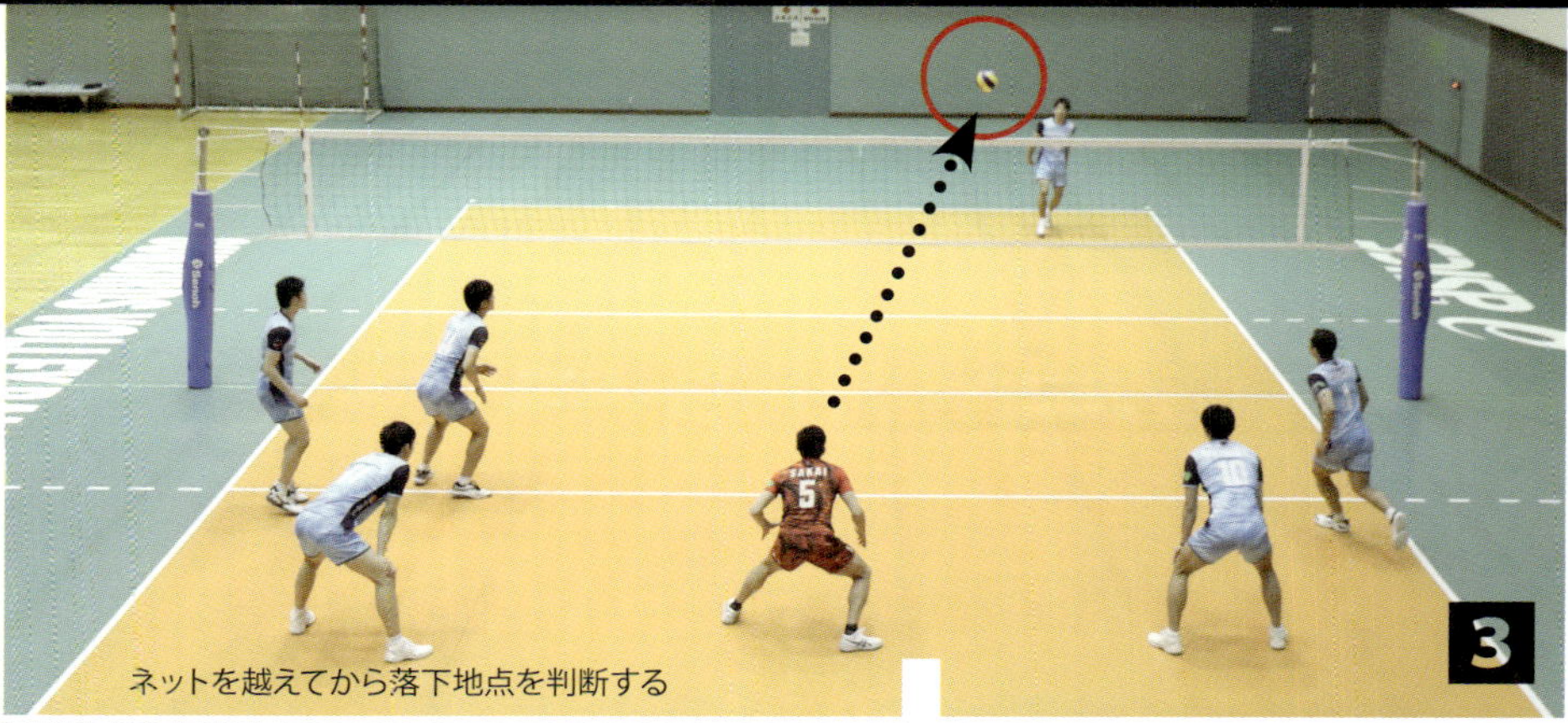

ネットを越えてから落下地点を判断する

落下地点に移動して腰を落としてボールの下に入る

上達ポイント!

① サーバーの助走距離とスピードを確認する
② 助走に勢いがついている時は、後方に伸びる
③ ボールが手元にくるまで目で追い、呼び込む

プラスワン +1

ネットを越えてから手元まで ボールから目を離さない

ジャンプフローターサーブは、角度がある分、フローターサーブよりも変化しやすい。ボールがネットを越えてから手元にくるまで目を離さないようにする。コースを突かれても威力はないため、腕の面に当てることを心がけよう。

ポイント
18

ジャンプスパイクサーブのサーブレシーブ

腕を身体の前に出し勢いを止める

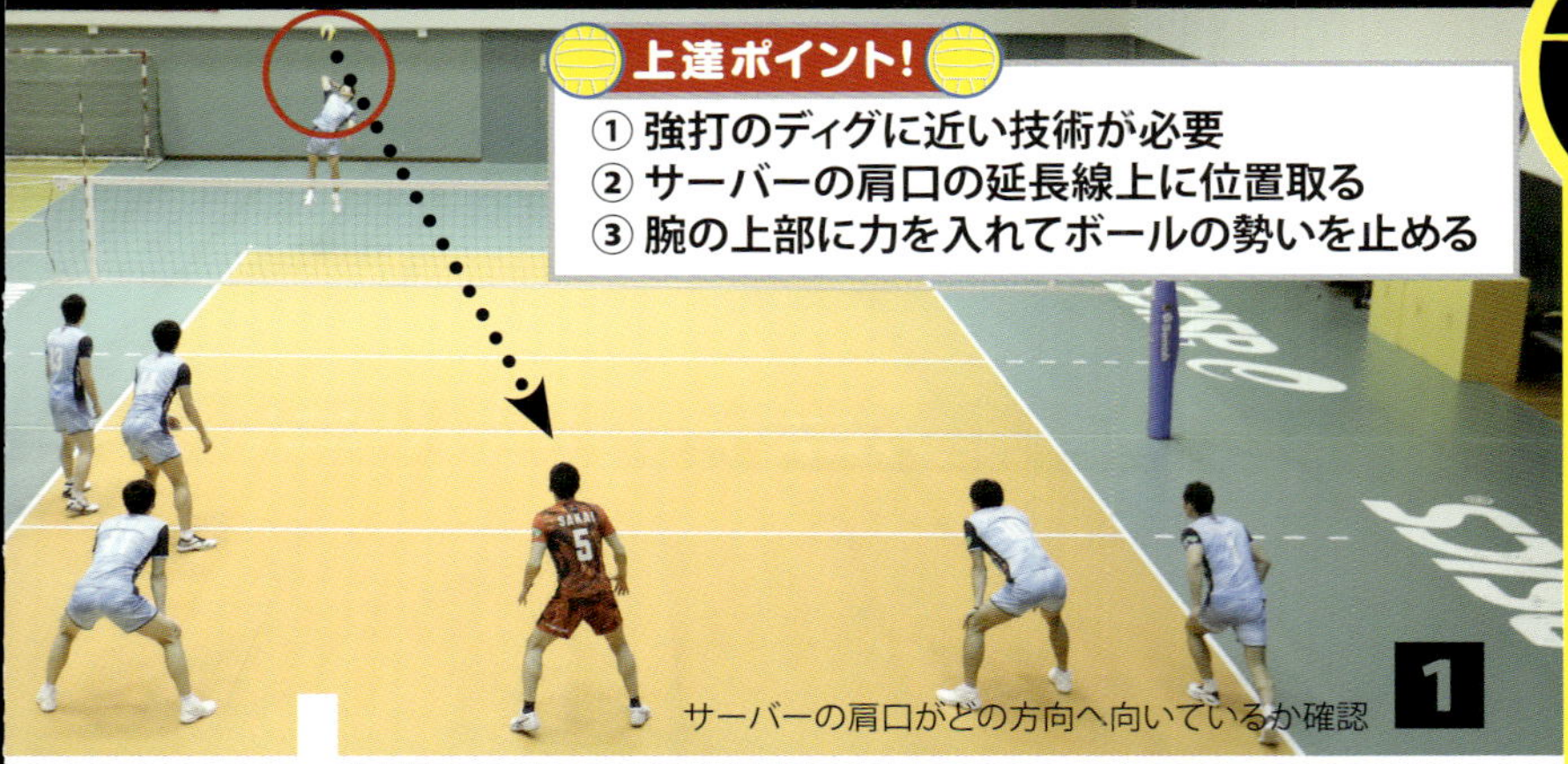

上達ポイント!

① 強打のディグに近い技術が必要
② サーバーの肩口の延長線上に位置取る
③ 腕の上部に力を入れてボールの勢いを止める

1 サーバーの肩口がどの方向へ向いているか確認

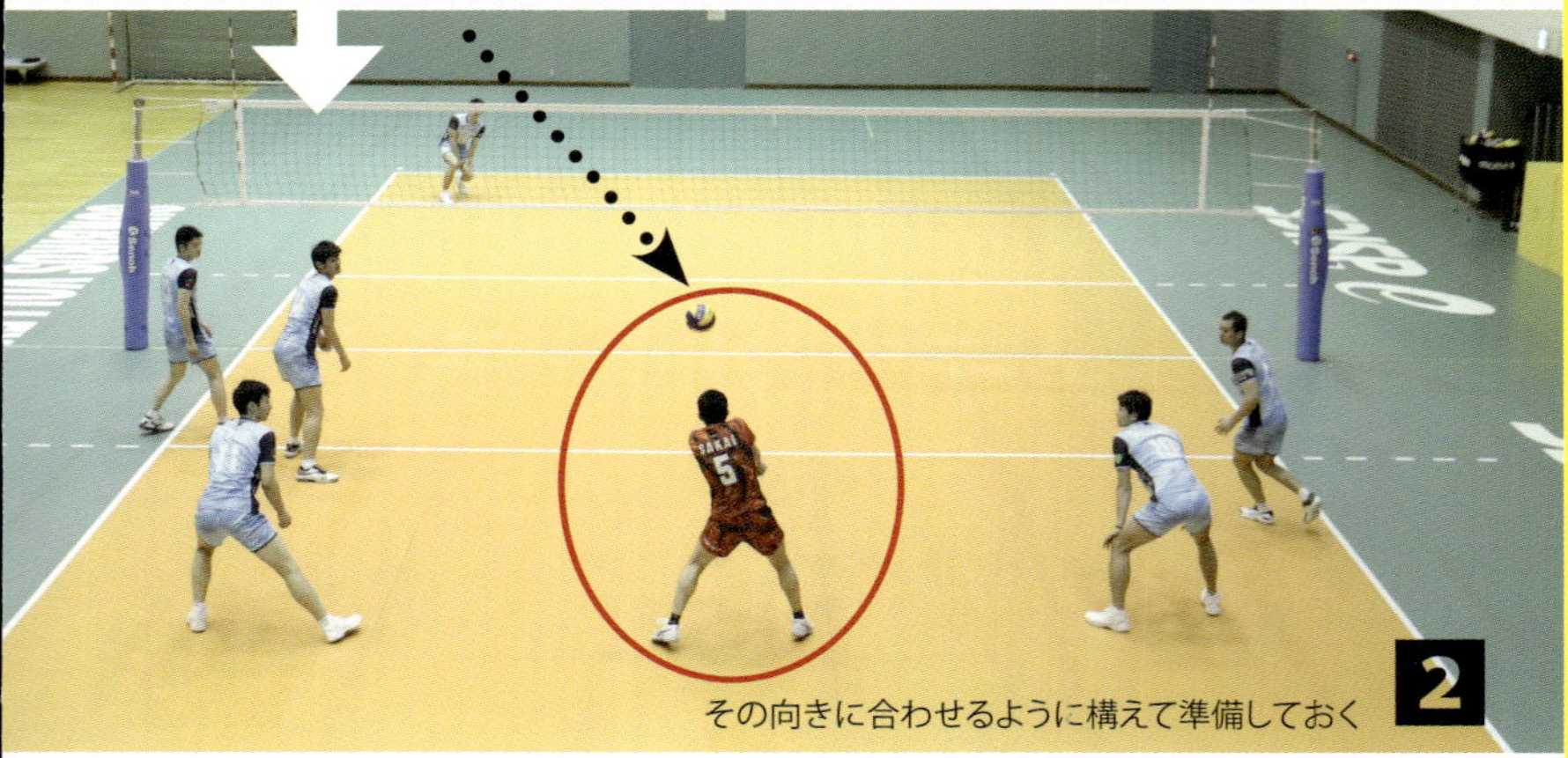

2 その向きに合わせるように構えて準備しておく

ジャンプスパイクサーブは、スパイク同様、打点が高く鋭い球質のボールがくるサーブ。ビッグサーバーの強烈なジャンプスパイクサーブに対してのサーブレシーブは、ディグに近いものがある。それゆえに、ディグのコツ同様、位置取りが重要となってくる。相手サーバーの身体の反り具合、肩のまわし方をよく見て、肩口と腕の方向が一致したら、その延長線上に入る。

ジャンプスパイクサーブを受ける時は、ボールの勢いに任せて身体や腕を引いてはいけない。腕の上部にしっかり力を入れて身体の前に出し、ボールを止めるイメージで行うのがポイント。腕を引き過ぎず、腕に角度をつけてコート中央にボールを上げよう。

コツ 01 いち早く準備するには サーバーのクセを見つける

スピードの速いジャンプスパイクサーブに対して、いち早く位置取りするためには、サーバーのクセを見抜くこと。打つ瞬間に肩口が下がったり、身体が斜めを向いていたり、身体の動きを見て打ってくるコースを見極めよう。

コツ 02 その場でリズムをとっておくと 重心移動がスムーズ

強打に対してのディグ同様、身体の動きを止めた状態でボールを受ける時は、その場でリズムをとり、身体を一瞬浮き上がらせてから構える。身体を揺らしてリズムをとっておくと、スムーズに重心移動できる。

コツ 03 ジャンプスパイクサーブは すばやい判断と準備が大切

ジャンプスパイクサーブでポイントを取られてしまう原因は、予測よりもサーブのスピードが速く、反応が遅れてしまうからだ。速いボールはすばやくコースを判断し、目線の上下を少なくし、ボールの下に早く入る準備が大切。

プラスワン +1
強烈なジャンプスパイクサーブは セッターに返さなくてよい

強烈なジャンプスパイクサーブに対しては、コントロールが難しいため、セッターにボールを返そうとしなくてよい。とにかくコースを早く判断し、ボールに反応することを意識する。コートの中央にボールを上げる意識でサーブレシーブに入ろう。

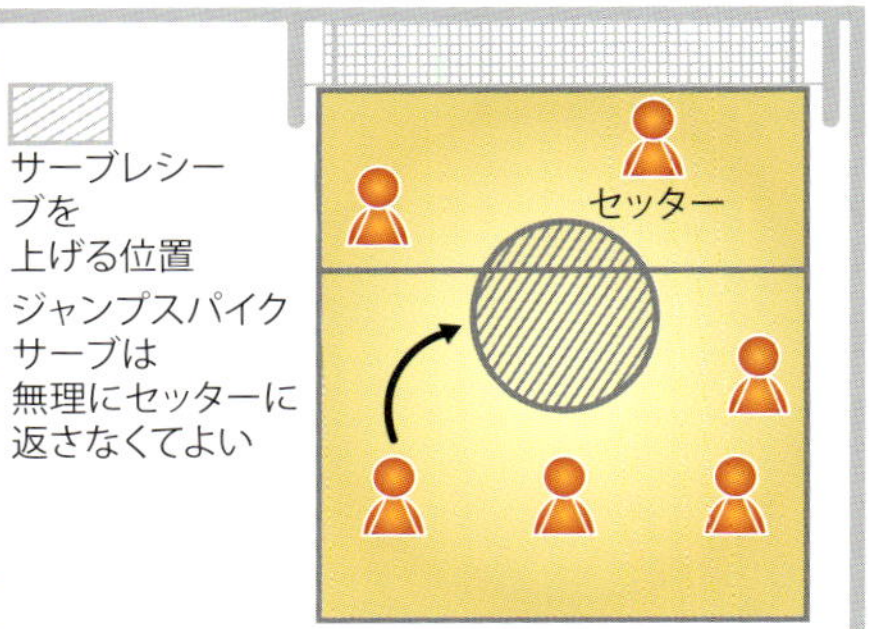

ポイント 19

肩から上にきたサーブのサーブレシーブ

顔の前にボールをおさめるように上げる

1 落下地点を見極めるまではリラックスして構える

2 肩よりも上にボールがくると判断

ボールのスピードが遅いフローターサーブやジャンプフローターサーブは、ボールが変化する前にアタックラインの周辺でオーバーハンドでとらえる。フローター系のサーバーに対しては、サーブレシーブする選手でポジションのラインを作る（次ページのプラスワン参照）。ボールがネットを越える際、オーバーハンドでとれるボールか否かを判断。ボールの落下地点を見極めたら、しっかり正面に入り、オーバーハンドでとらえる。

ボールの勢いをうまく吸収するポイントは、ボールが手から離れる瞬間、小さいジャンプを取り入れて、身体を少し宙に浮かせる。ボールに反発を与えることで勢いを軽減し、自分の目の前におさめるイメージで上げる。

3

顔の前でしっかりボールをとらえる

4

身体を少し浮かせて
ボールに反発を与える

上達ポイント！

① ボールがネットを越えてからオーバーハンドでとるか判断
② ボールが手から離れる瞬間、小さくジャンプする
③ 身体を少し浮かせて、ボールに反発を与える

プラスワン +1

横の連携を意識して ボールを確実にとらえる

コートを3分割に分け、センターラインから4.5～5mのポジションにサーブレシーブする選手でラインを作る。試合では横の連携を意識してボールを確実にとらえよう。参考までにジャンプサーブはセンターラインから7m付近にラインを作るとよい。

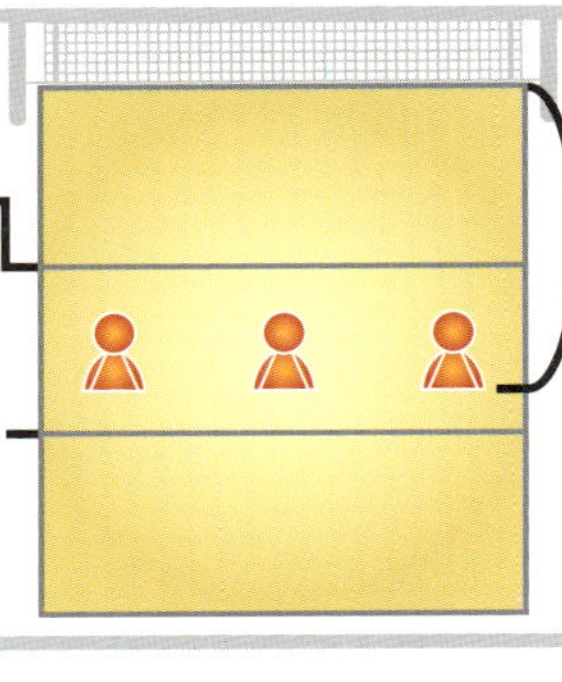

Column

リベロとレシーバー

似て非なるポジションを使い分ける

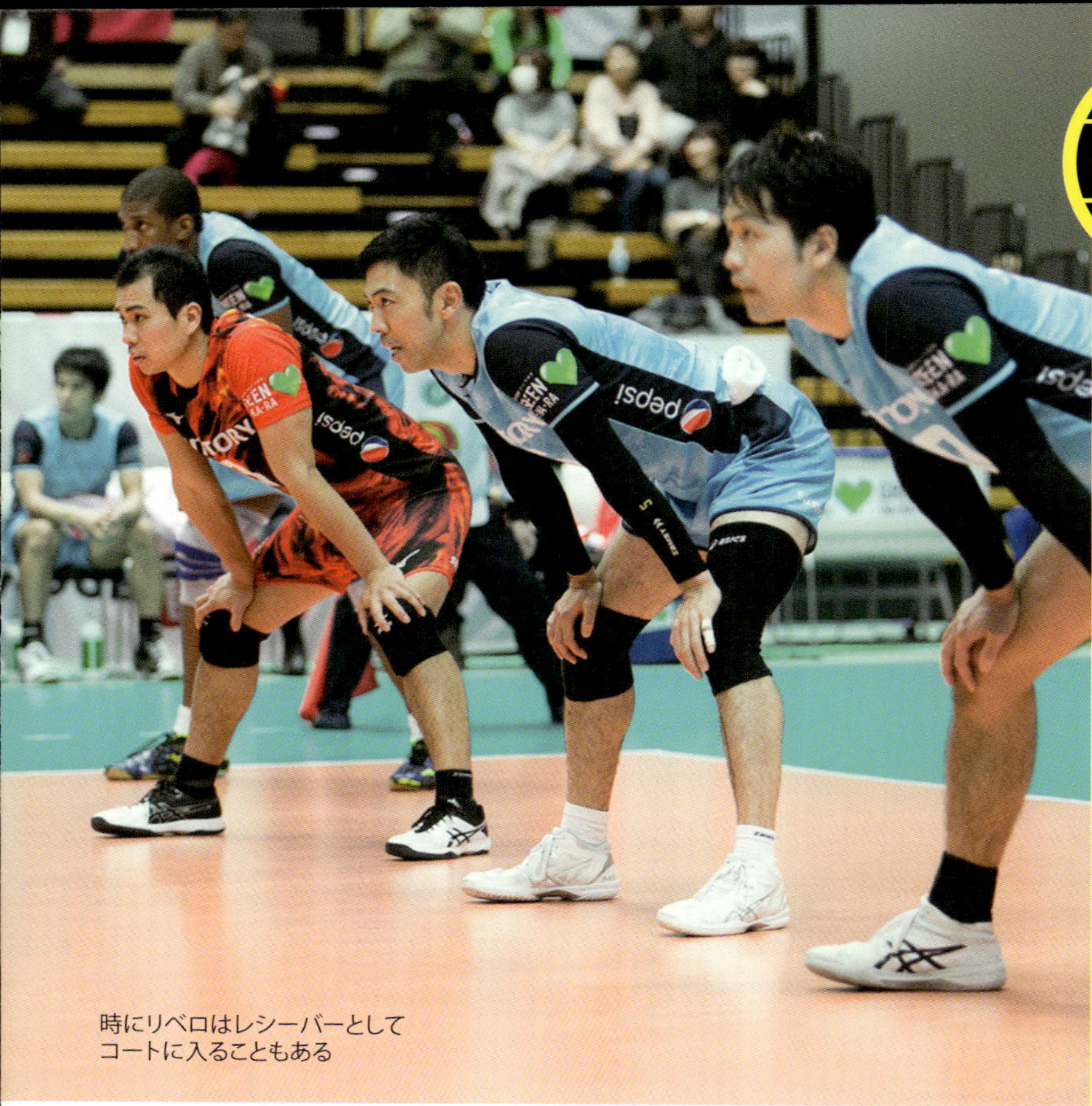

時にリベロはレシーバーとして
コートに入ることもある

守備を固めるには、リベロを1人または2人に加え、レシーバーを上手に組み合わせていくとよい。守備が不安定なローテーションになってきた時、試合の流れを変えたい時など、アタッカーをレシーバーと交代させてリベロと並んでサーブレシーブやディグを行い、守備を固める。この時、リベロとレシーバーの守備を広めに設定し、サーブレシーブで狙われやすい前衛のアタッカーが攻撃に入れる体制を整えておく。

レシーバーは、後衛だけではなく前衛でもプレーすることができる。能力次第では、アタッカーとしてスパイクを打ったり、トスを上げたりすることもできる。守備を得意とする選手をリベロまたはレシーバー、どちらで起用するかによって戦術のバリエーションを広げられる。

Part.4
リベロのプレーの幅を広げる！

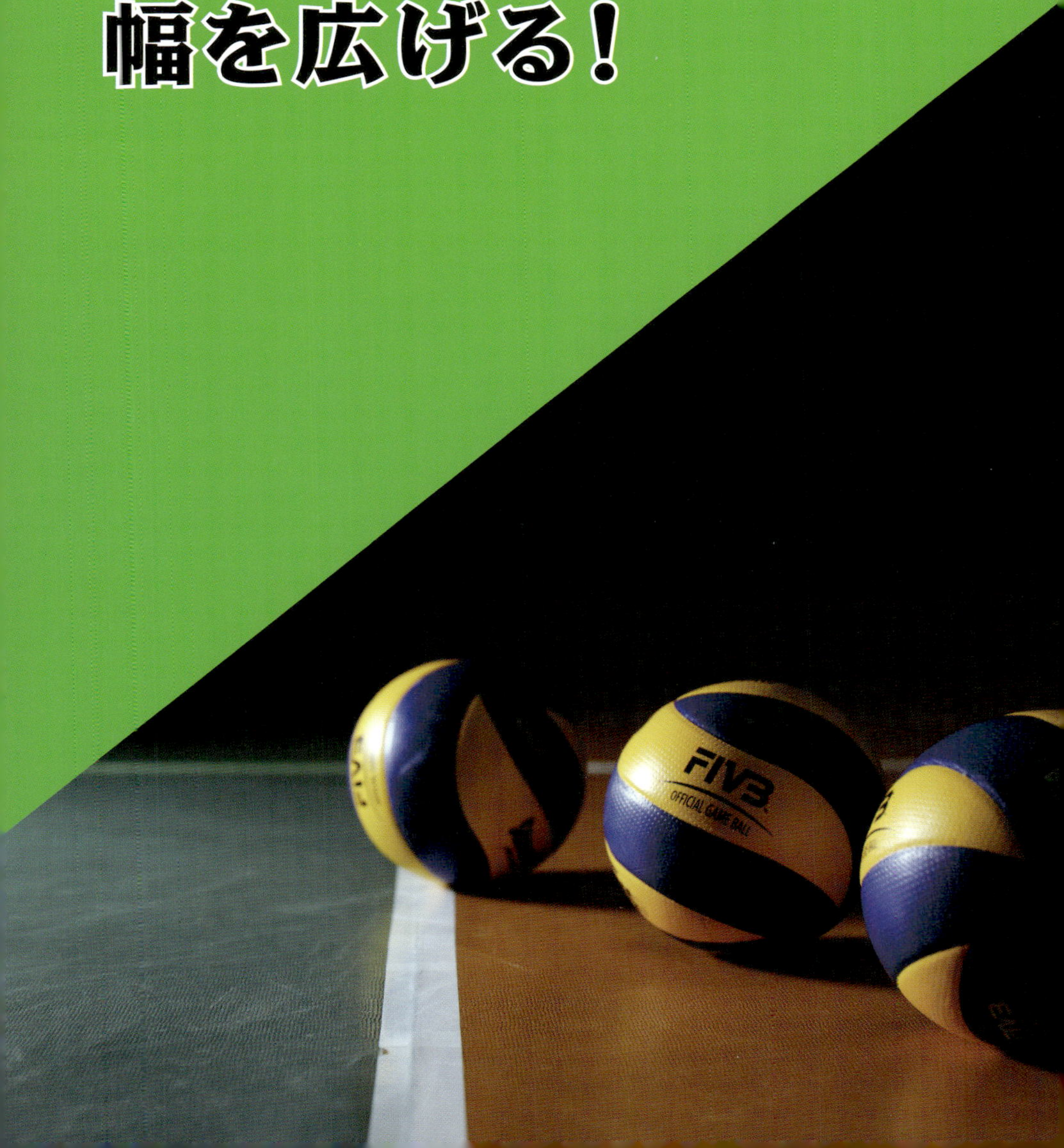

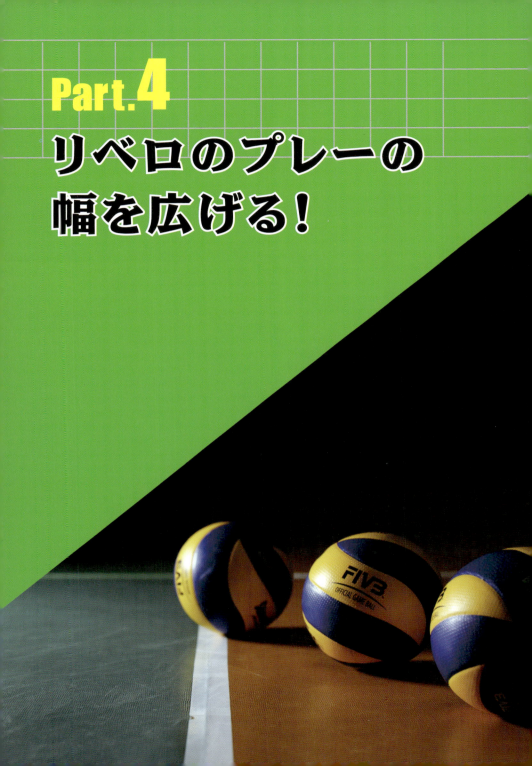

ポイント 20

跳ね返りそうな時は前につめる

ブロックフォローのポイント①

1

アタッカーはブロッカーの状態を確認して打つ

2

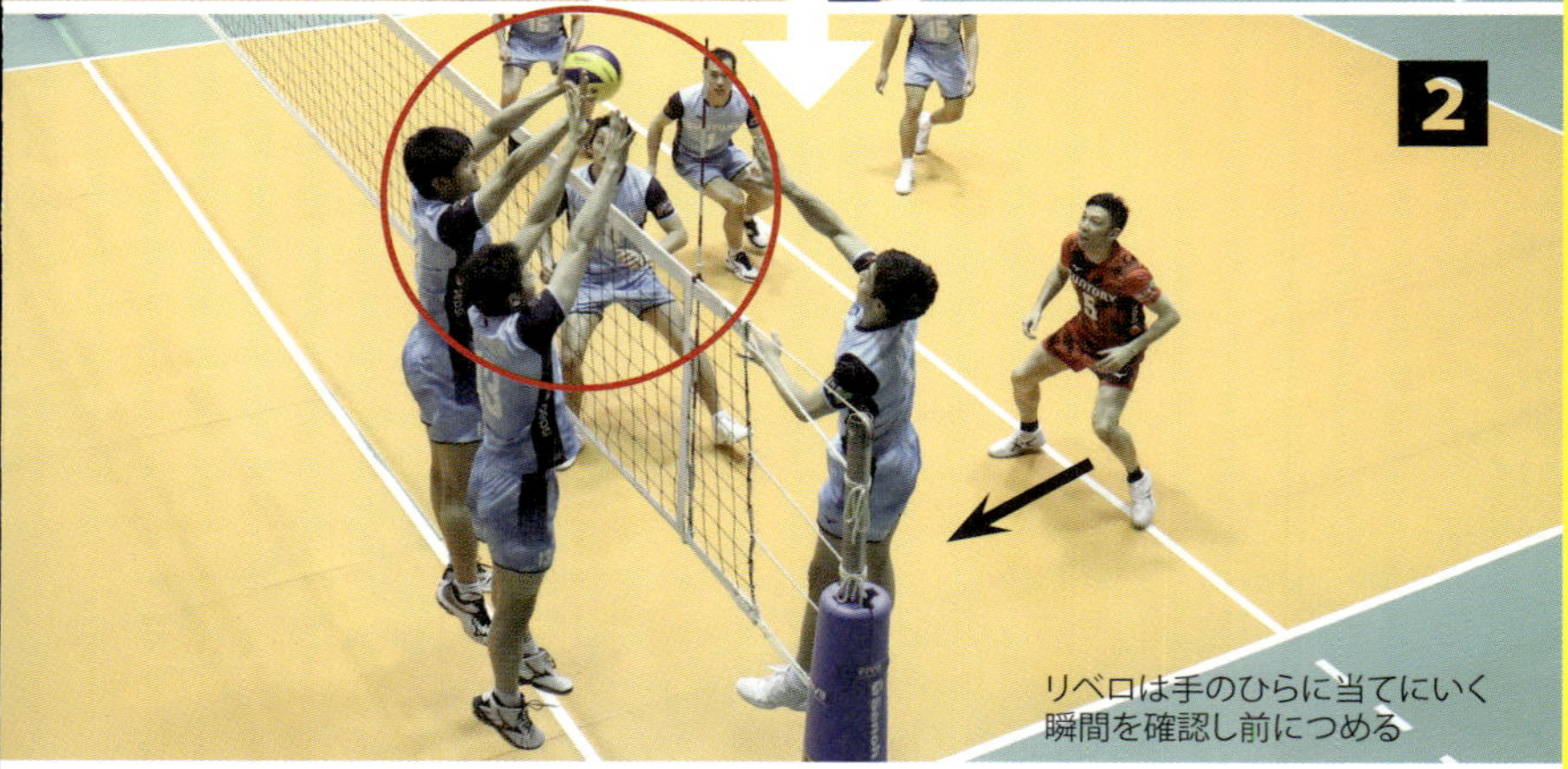

リベロは手のひらに当てにいく瞬間を確認し前につめる

コート上で1本目のサーブレシーブまたはディグから、２本目の二段トスが上がった後は、リベロはアタッカーが打ったボールに対して、ブロックフォローに入る。

ブロックに跳ね返ったボールを確実に上げるポイントは、トスの状態、アタッカーのフォーム、ボールがどのような状態でブロックに当たるのかを観察すること。とくにアタッカーはかぶっている状態か、ブロッカーが見えている状態かを判断する。そして、相手ブロッカーの高さや腕がどのくらいの角度で出ているのかを瞬時に確認する。

相手ブロッカーの手がネットより前に出ていない時は、ブロッカーの手のひらが正面または上を向いているため、アタッカーが打ったボールが跳ね返ってくる可能性が高い。そういう時は、ポジションをできるだけ前につめて、ボールを拾いにいく準備をする。

ボールから目を離さずに準備する

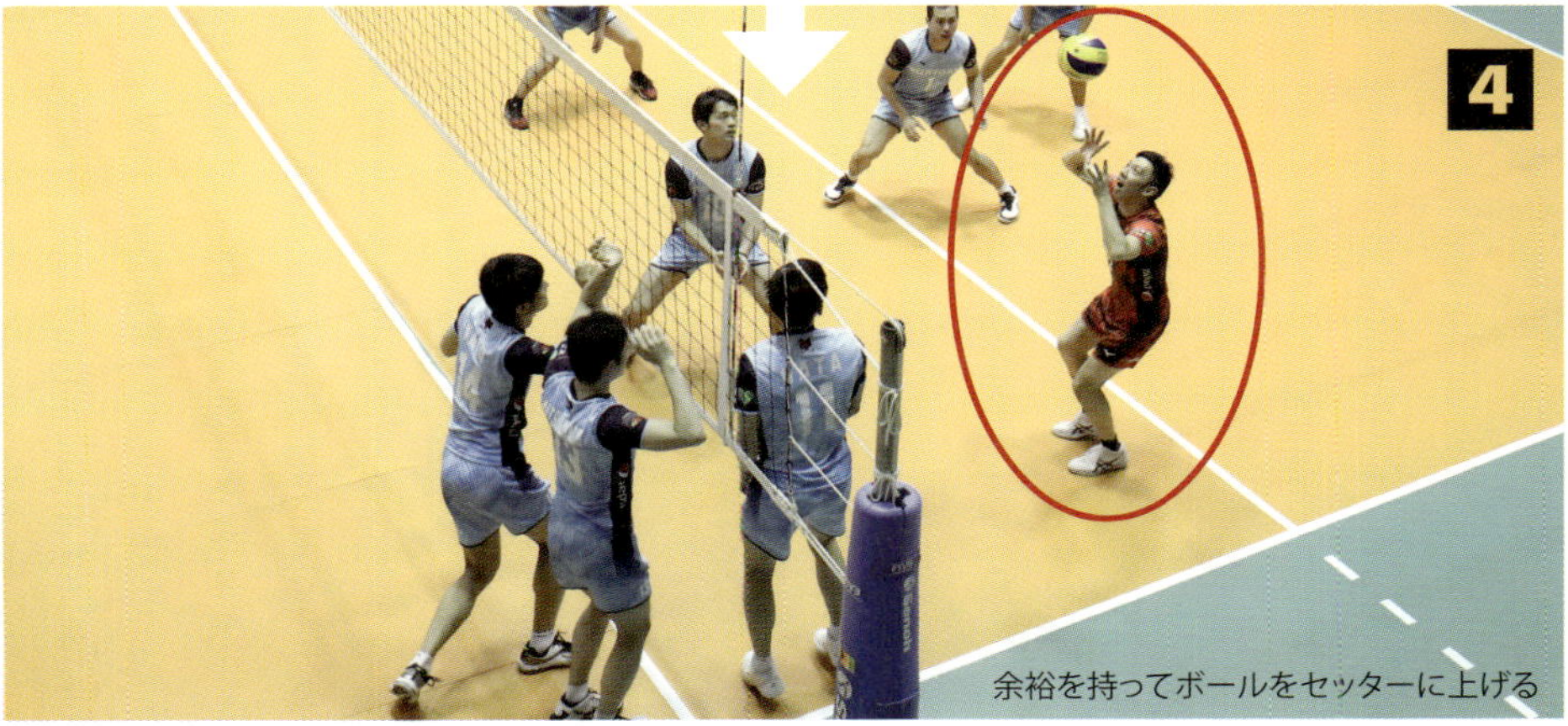

余裕を持ってボールをセッターに上げる

上達ポイント!

① トスの状態、アタッカーのフォームを観察する
② 相手ブロッカーの高さや腕の角度を確認
③ ボールが跳ね返ってくる時はポジションを前につめる

プラスワン +1

アタッカーを四角で囲むイメージでフォローに入る

ブロックフォローの基本フォーメーションは、アタッカーを四角で囲むように配置する。ただし、後衛の選手がバックアタックを打った場合は、後衛のポジションが空いてしまうため、そこにはすかさずリベロが入る。コートに穴が空かないようにチェックする。

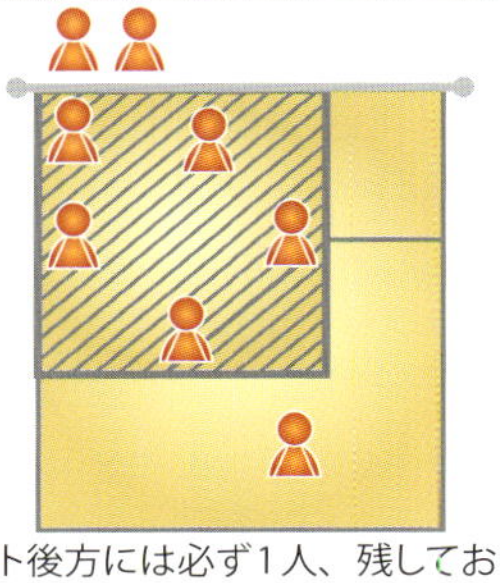

コート後方には必ず1人、残しておく

ポイント 21

ブロックフォローのポイント②

真下に落ちる時はリラックスして構える

相手ブロッカーとアタッカーの状況を確認する

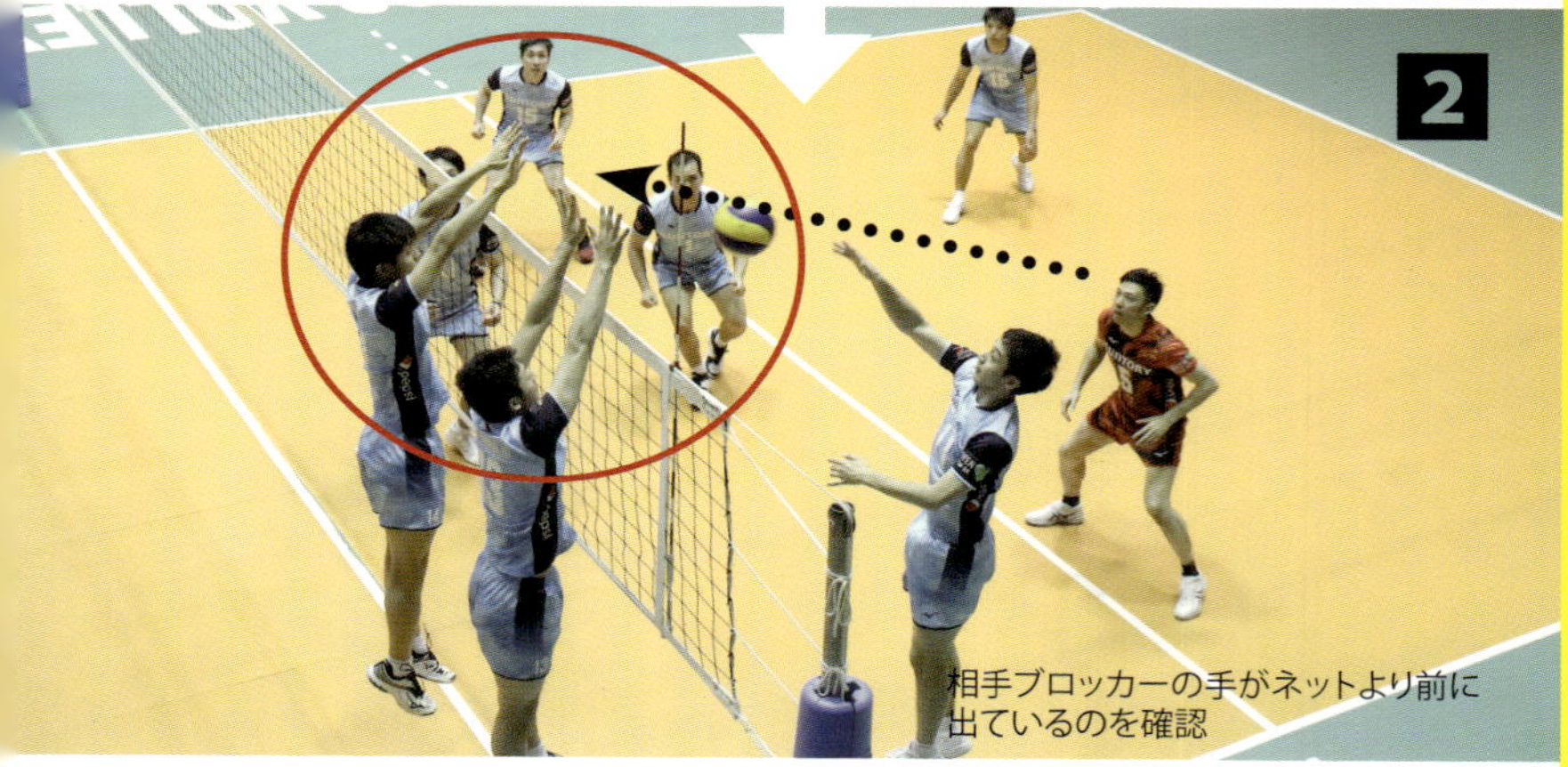

相手ブロッカーの手がネットより前に出ているのを確認

リベロは、ブロックフォロー時にチーム全体がバランスのよいカタチでフォローできているか、必ずチェック。選手の間にボールが返ってきて、どちらがとるか迷ってしまうようなお見合いがないように、練習時から守備範囲を明確にしておく。

ブロックフォローに入った時、相手ブロッカーの手がネットより前に出ている時は、手のひらが下を向いているため、ボールがブロックの真下に落ちる可能性が高い。トスがネットに寄りアタッカーが崩れた状態でボールを打ちつけてしまうと、どこに落ちるか判断する間もなくボールは落下する。

そのようなボールに反応するのも難しいため、アタックボールがまともにブロックに当たると判断した時は、すぐに準備態勢に入り、リラックスして構えることを心がけよう。

すぐにボールが返ってくるので、
すばやく準備

ボールを目で追いながらリラックスして
構えておく

上達ポイント！

① 練習時から守備範囲を決めておく
② ブロッカーの手が前に出ている時は、真下に落ちる
③ 落ちると判断したら、リラックスして構える

プラスワン +1

アタッカーのフォローは着地してからボールを拾う

ボールが真下に落ちる時は、アタッカーがすかさずボールに反応しよう。その時、空中で身体が不安定な状態でむやみにさわるとボールコントロールが難しい。しっかり着地してからボールにさわることがコツ。

ポイント 22

二段トス

オーバーハンドで攻撃の時間を短縮する

1本目が乱れたら、トスアップに入る意識を持つ

落下地点をすばやく判断し、ボールの下に入る

セッターが1本目を拾ったり、1本目が乱れてセッターがトスを上げられない場面では、リベロが積極的にトスアップに入る。その時、できるだけ、オーバーハンドで二段トスを上げるのが理想。アンダーハンドの二段トスは、ボールをすくい上げる動作が入るため、時間ができる分、相手チームに守備体系を整える時間を与えてしまう。

これに対し、オーバーハンドはボールを送り出す位置が高いため、攻撃の時間を短縮できるメリットがある。

オーバーハンドトスは、トスを上げたい方向へ身体を向けて身体の軸と腹部を意識してボールを送り出すことがポイント。ネットから離れた状態でも、オーバーハンド、バックオーバーハンドでボールを運び、アタッカーが打ちやすいトスを心がけよう。

3

腹部を意識してボールをとらえる

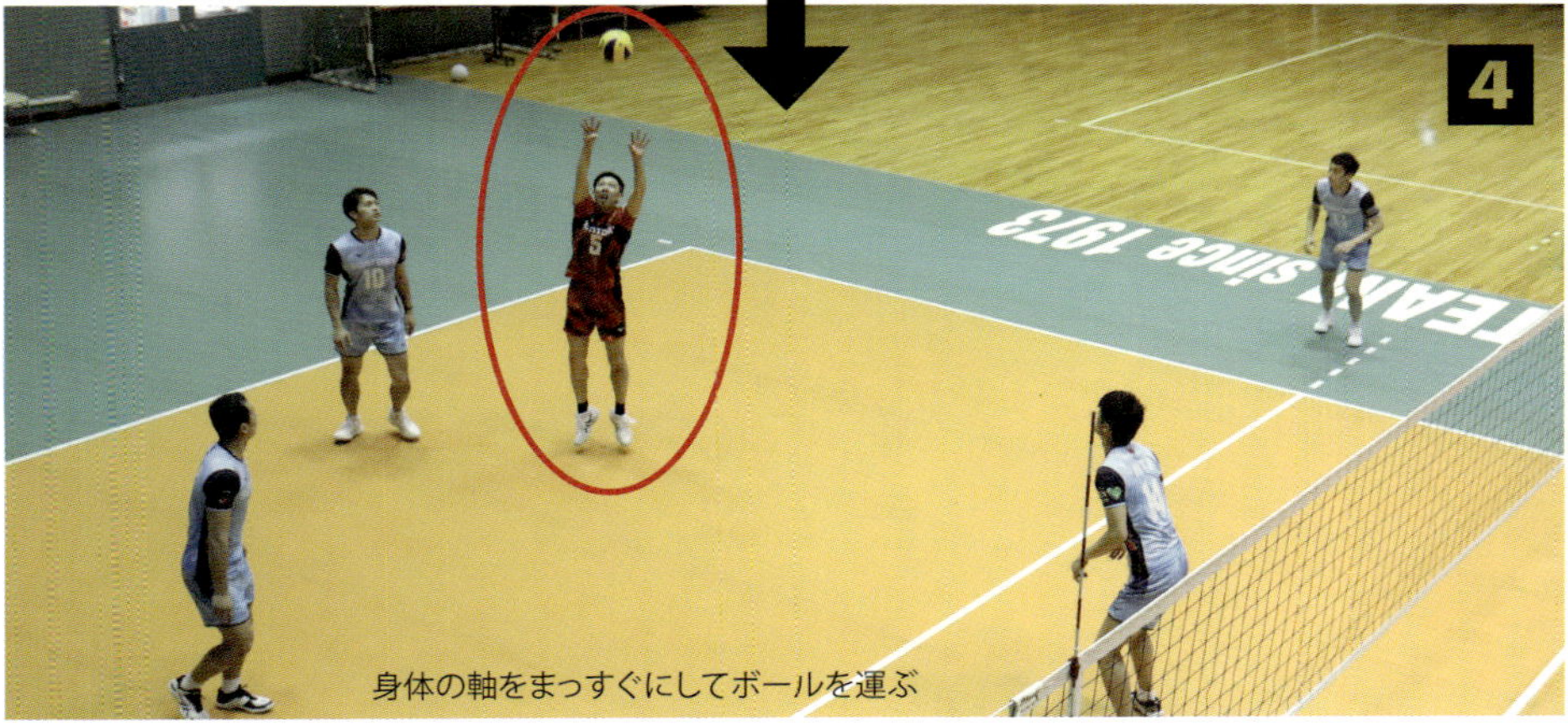

4

身体の軸をまっすぐにしてボールを運ぶ

上達ポイント!

① セッターがトスを上げられない時はリベロが上げる
② オーバーハンドは攻撃の時間を短縮できる
③ 身体の軸と腹部を意識してボールを送り出す

プラスワン +1

ボールの下に入れない時は アンダーハンドで上げる

ボールの下に入るのが遅くなった時は、アンダーハンドで二段トスを上げにいく。アンダーハンドで上げる際も、腹部を意識して下から上へ重心を移動して、ボールを送り出す。腕の面をトスを上げるアタッカーへ向けて、トスの方向を示そう。

ポイント23

壁際でのジャンプをイメージしてトス

ジャンプの二段トス

ボールの落下地点を判断して移動

アタックライン側に壁があるイメージでジャンプ

アタックライン付近に上がったボールは、ジャンプトスで上げる。ボールをとらえる位置がさらに高くなり、攻撃の時間もより短縮できる。

このテクニックは、ジャンプしてからボールを放すまで、どのアタッカーにトスを上げるかわからない、というトリッキーなメリットも持てる。

アタッカーが打ちやすいトスを上げるためには、空中において身体の軸をぶらさないことが重要。身体の軸をぶらさないポイントは、床を踏み切った足を軸にして壁際でトスを上げるイメージを作る。

壁際でのトスアップをイメージすることで、身体の軸はぶれなくなる。身体を空中で安定させることで、ボールもぶれにくくなる。

アタックライン手前で片足で踏み切り、空中でトス

3

ボールをとらえたらアタッカーに送り出す

4

上達ポイント！

① アタックライン付近のボールはジャンプトス
②アタックライン側に壁があるイメージを持つ
③身体の軸をぶらさずにボールを送り出す

プラスワン +1

バックトスもアタックライン側の壁をイメージして上げる

バックトスも身体の横、アタックライン側に壁があるイメージを持つ。腹部を意識して身体の軸を安定させて、ボールをとらえた後、ボールを後方へ運ぶ。ギリギリまで手元に引きつけておくことで、ブロッカーの判断を少しでも遅らせよう。

リベロのベンチワーク
コートの中と外をつなぎ戦術のズレを修正する

チーム全体を見渡せる視野を持つ

上達ポイント!

① リベロはコートの中と外をつなぐポジション
② ブロックとレシーブの関係性を確認する
③ ベンチからコートの中では気づかない点に目を向ける

プレー以外のリベロの仕事としてあげられるのが、ベンチワークだ。試合を行う前にチームでミーティングを行い、作戦を共有していても、実際に試合が始まると、コートの中にいる選手たちが感じている試合の流れと、スタッフがコートの外で感じていることにズレが生じることもある。

そこを修正することができるのが、コートの外と中をつなぐリベロだ。コート全体を俯瞰で見渡し、守備の連携がうまくいっているかを確認する。うまくいっていなければ、ベンチからの指示をチームメイトに積極的に伝えて守備を修正していく。

とくにセカンドリベロになった場合、ベンチやウォームアップゾーンにいる時間が長い。相手チームの戦術の変化においても気づいたことがあれば、どんどん声をかけていこう。

コツ 01 ベンチで気づいたことをタイムアウト中に伝える

時にはセカンドリベロ、レシーバーとして、ベンチを温めることもあるだろう。そんな時こそ、コートの中では気づかない点に目を向ける。タイムアウト中はそれを伝える絶好の機会。コートにいるメンバーへ修正点をアドバイスできるようにしよう。

コツ 02 チーム全体を見渡し、チームメイトを鼓舞する

後ろからチーム全体を見渡せるリベロは、コートの中の監督。動きの悪い選手や意気消沈している選手がいたら、後ろからどんどん声をかけて鼓舞していこう。劣勢からの切り替えを意識づけしたり、チームを落ち着かせるのが、リベロの役目でもある。

コツ 03 相手チームの心理を読み、声でプレッシャーをかける

試合で主導権を握るには、勝負所で得点を重ねていかないといけない。リベロは自チームだけではなく、相手チームも見渡すことができる。相手の動きから心理を読み、反則にならない範囲で相手チームにプレッシャーのかかる言葉をかけていこう。

プラスワン +1

ブロックとレシーブの関係性を修復するのがリベロの役目

流れを引き寄せるために重要なブレイクポイントをモノにするためには、ブロッカーとレシーバーの関係が重要。その関係性が少しでもずれていたら、コートに穴が空いてしまう。なかなかブレイクポイントが取れない時は、リベロはブロックとディグの関係性を見直し修正をかけていこう。

リベロは状況を見て二段トスに入るか入らないかを決める

Column

二段トス
状況を見極めて最善の判断をする

セッターがトスアップに入れない時、二段トスはリベロの仕事だ。その時に頭に入れておかなければいけないのは、前衛、後衛それぞれのアタッカーの数と位置である。トスアップに入る前によく周囲を確認し、トスの高さを調整する。トスアップに入れなかったセッターは、トスを上げる位置を必ずコールする。

また、チームの特徴やその時の状況を踏まえると、リベロがトスアップに入らないほうがいい時もある。たとえば、チームの中にツーアタックの決定率が高い選手がいる時だ。その選手がトスアップに入れば、相手ブロッカーは警戒するため、その分、引き付けることができる。その時の状況を見て、トスアップに入った選手がツーアタックを打つか、トスを上げるか、最善の判断をする。

Part.5

ディグの組織プレーを確立する！

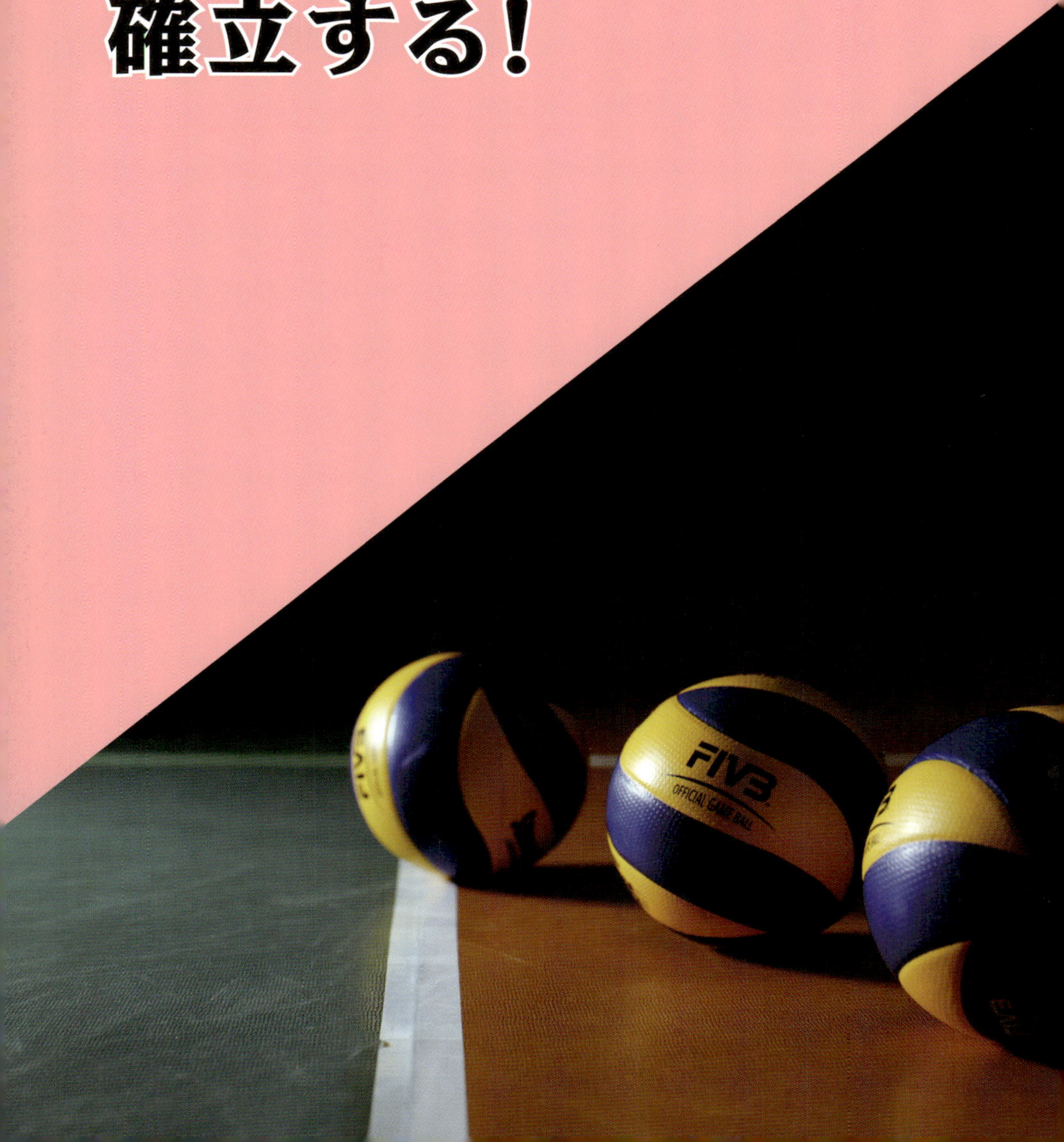

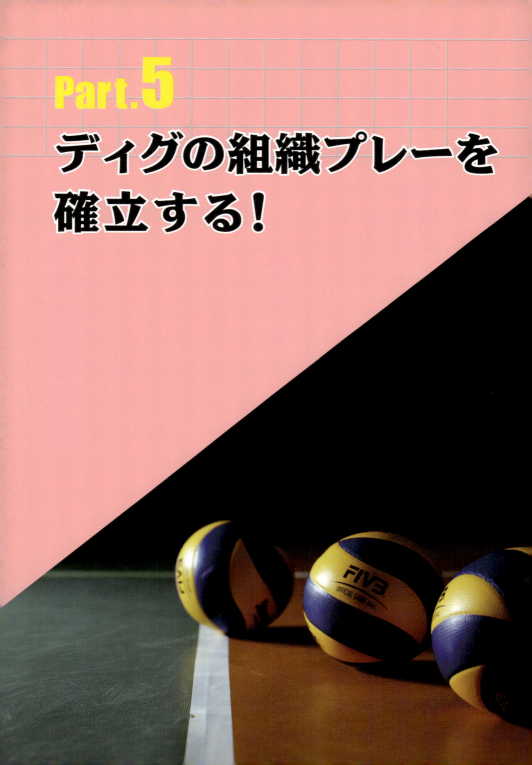

ポイント
25

ディグフォーメーションの本質

ディグでブロックできないところを包囲する

ブロックの位置を早く見極めることが
ディグ力アップにつながる

上達ポイント！

① ラッキープレーや身体能力に頼らない
②ブロッカーは相手の攻撃体勢を確認して動く
③レシーバーはブロッカーの動きを確認して動く

確実にディグを上げるには、勘に頼ったラッキープレーや選手個々の身体能力に頼ってはいけない。バレーボールの守備は、ブロックとディグの連携が生命線。相手のどの攻撃に対しても、レシーバーはブロッカーの枚数、位置、状態を視野に入れて、守るポジションを決定する。

相手アタッカーがサイド（レフトおよびライト）から攻撃してくる場合、ブロッカーはクロスを締めるか、ストレートを締めるか、跳ぶ位置を判断する。それに対してレシーバーは、ブロッカーがふさいでいないコースへ入る。ディグの戦術フォーメーションを考える時は、相手チームの特徴を踏まえて、最も拾わせたいポジションにリベロを置く。

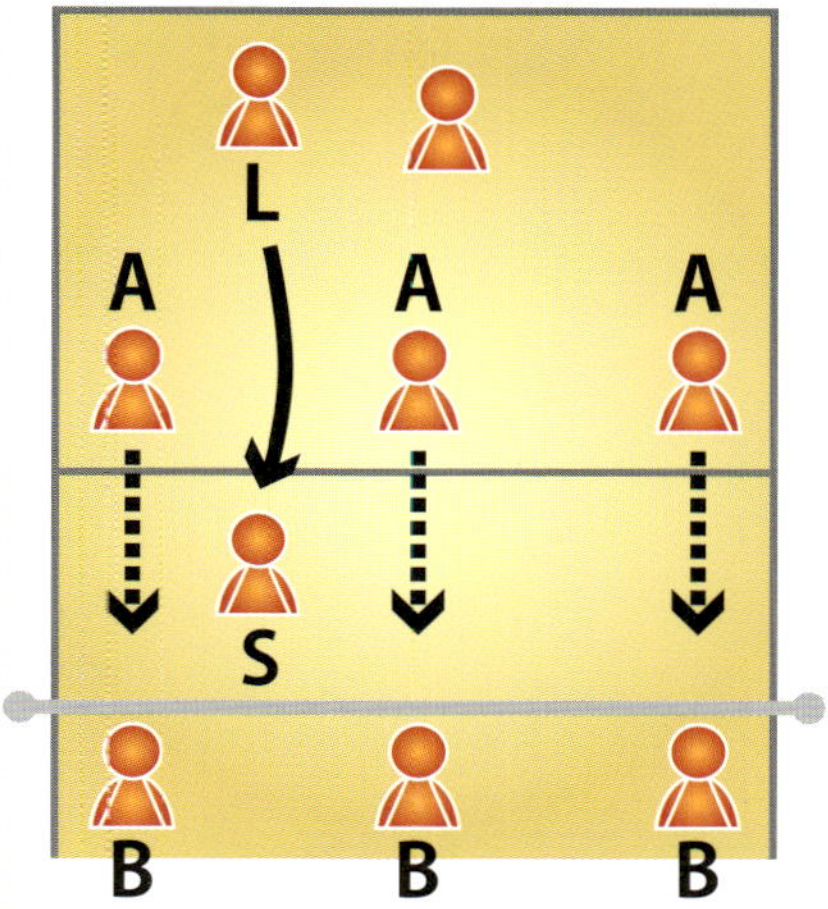

コツ01 ブロッカーはアタッカーの状況に合わせて跳ぶ

ブロッカーの位置取りは、相手チームの攻撃状況に合わせて跳ぶのがセオリー。1本目のパスが上がった位置、セッターの状態、アタッカーの助走準備を確認して、どこにどんなトスが上がるのか、頭に入れて反応できる準備をしておく。

L＝リベロ
S＝セッター
A＝アタッカー
B＝ブロッカー
R＝レシーバー

┅┅▶ アタッカーの動き
──▶ 相手チームのボールの動き

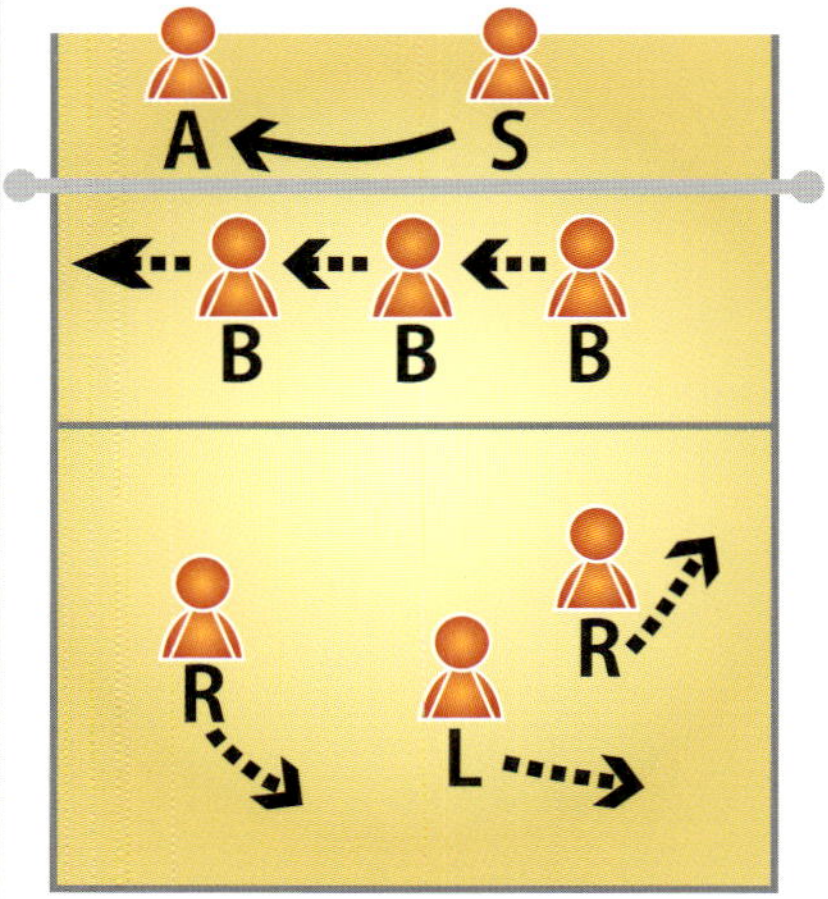

コツ02 レシーバーはブロッカーの状況を見て位置を決める

レシーバーの位置取りは、ブロッカーの位置が明確にならないと決められない。よってブロックの枚数、跳び方、タイミングを一瞬で判断し、位置取りすることが重要。とくに平行攻撃やクイック攻撃は、判断のスピードが求められる。

L＝リベロ
S＝セッター
A＝アタッカー
B＝ブロッカー
R＝レシーバー

──▶ 相手チームのボールの動き
┅┅▶ ブロッカーとレシーバーの動き

プラスワン +1

ブロックとディグのズレをできるだけなくす

攻撃力の高いアタックでブロックを破壊しにくるチームもいれば、速いテンポのトスでブロックを惑わすチームもいる。いずれにしても、ブロックの動きに迷いがあると、ディグの位置も決まらず、ズレが生じやすい。ブロッカーとのコミュニケーションを忘れずに。

ポイント 26

ストレートのボールを拾う

ストレートコースに移動して『待つ』

セッターのトスアップをよく見る

ライト攻撃と判断してアタッカーのほうへ身体を向ける

ストレートコースへ忠実に打てるアタッカーに対しては、ブロッカーはクロスの位置で跳び、ストレートを空けておくフォーメーションが有効。リベロをストレートコースに配置する。

リベロは、パスの流れとともにセッターのツー攻撃を警戒し、ツー攻撃がないと判断したら、相手アタッカーに身体の向きを合わせる。ブロッカーの動きを確認しながら、ポジションを確定。両手を身体の前に出し、強打に備える。

アタッカーの助走とトスの位置を見てアタッカーのフォームが崩れている時は、ブロックの上を越えてフェイントボールやタッチボールがくる可能性もある。コート前方にボールがくることも想定して、準備を怠らないようにしよう。

ブロッカーの位置を見ながらストレートコースへ入る **3**

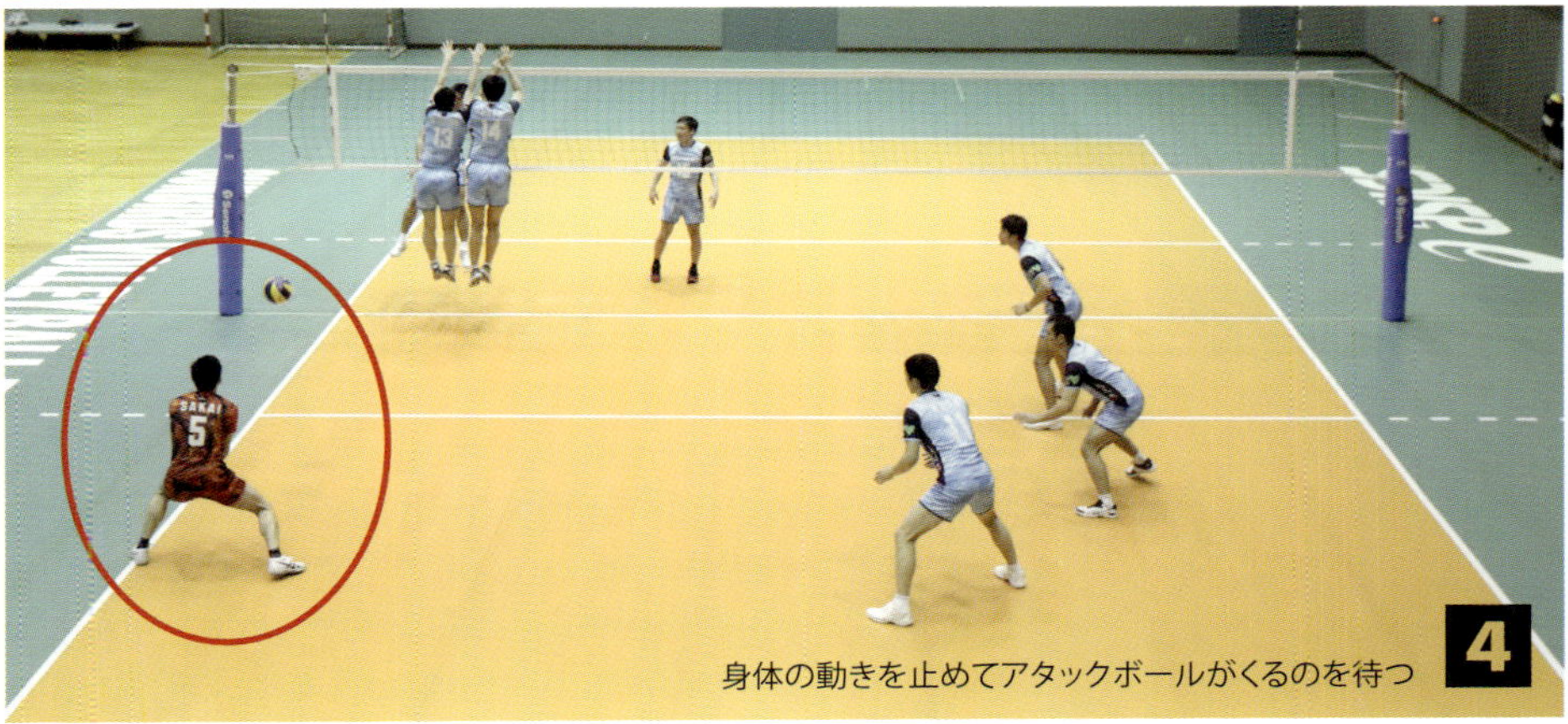

身体の動きを止めてアタックボールがくるのを待つ **4**

上達ポイント!

① ストレートへきれいに打ってくるアタッカーに有効
② ボールの流れを追いかけて、準備する
③ フェイントやタッチボールを警戒する

プラスワン +1

ストレートの空きスペースを確認してコースを想定しておく

リベロは基本的に、ブロッカーが跳んでいないストレートコースに入る。アタッカーの状態によっては、ボール1個分空けて跳んでいるのか、ボール2個分空けて跳んでいるのか、しっかり見極めて構えよう。

ポイント 27

クロスコースのボールを拾う
コートに穴が空かないようにラインを作る

1 セッターのトスアップをよく見る

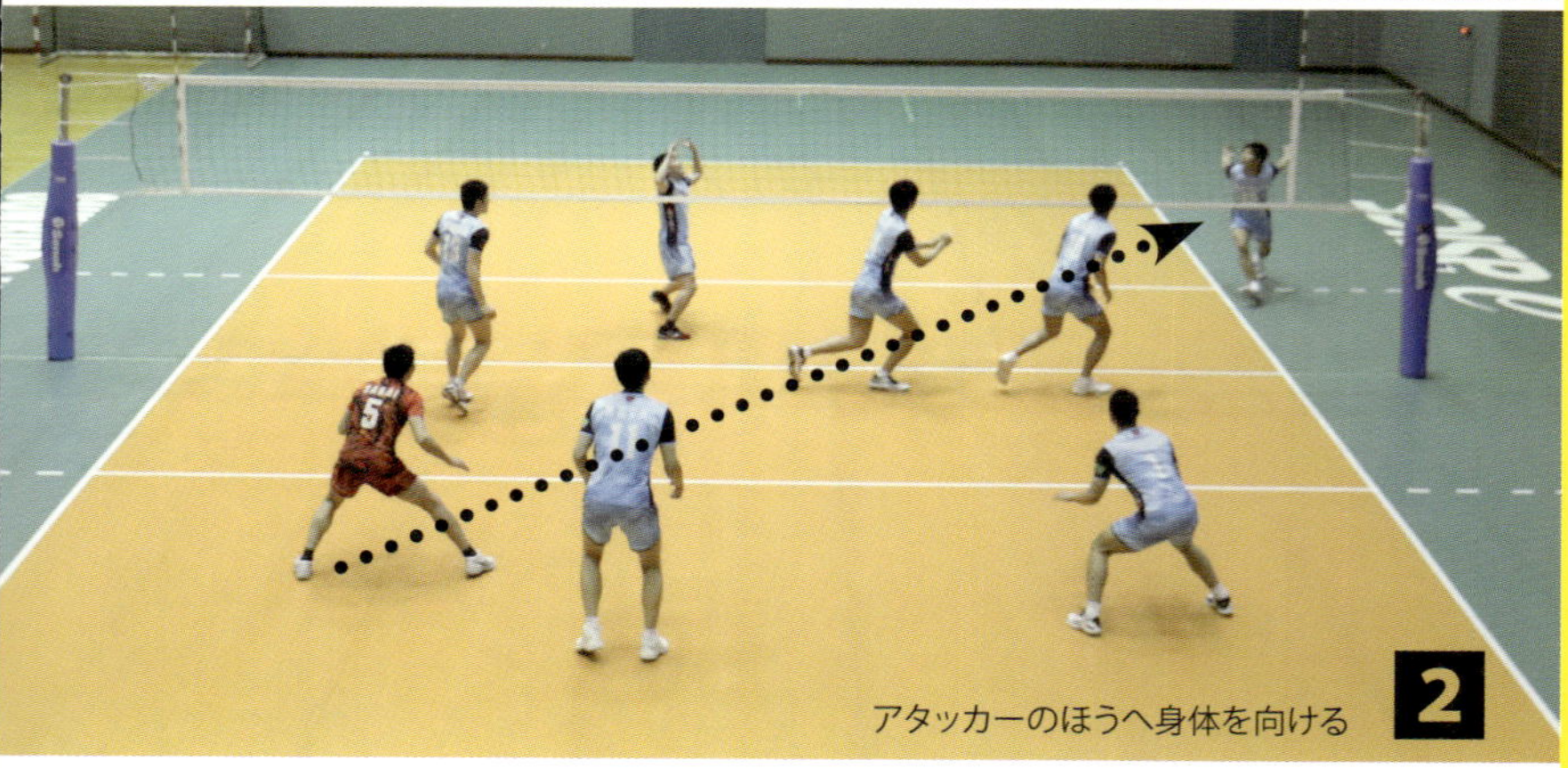
2 アタッカーのほうへ身体を向ける

相手アタッカーはストレートコースを締められると、ブロックがいないクロスコースを狙ってくる。相手のトスが上がり、アタッカーの状態を見極めたら、アタッカーの肩口へ身体を向けて準備する。

レシーバーはブロッカーとかぶらないところでポジション取りを行うことが、鉄則。構えた後、他のレシーバーの位置と横のラインを作るように意識する。アタッカーに対して、ブロッカーが作る壁、レシーバーが作る包囲網と合わせて、コート上に穴が空かないフォーメーションを作ることが最大のポイント。

もし、中央のブロッカーが遅れてしまったら、その分相手アタッカーは広いところを狙ってくるため、ポジションを調整しよう。

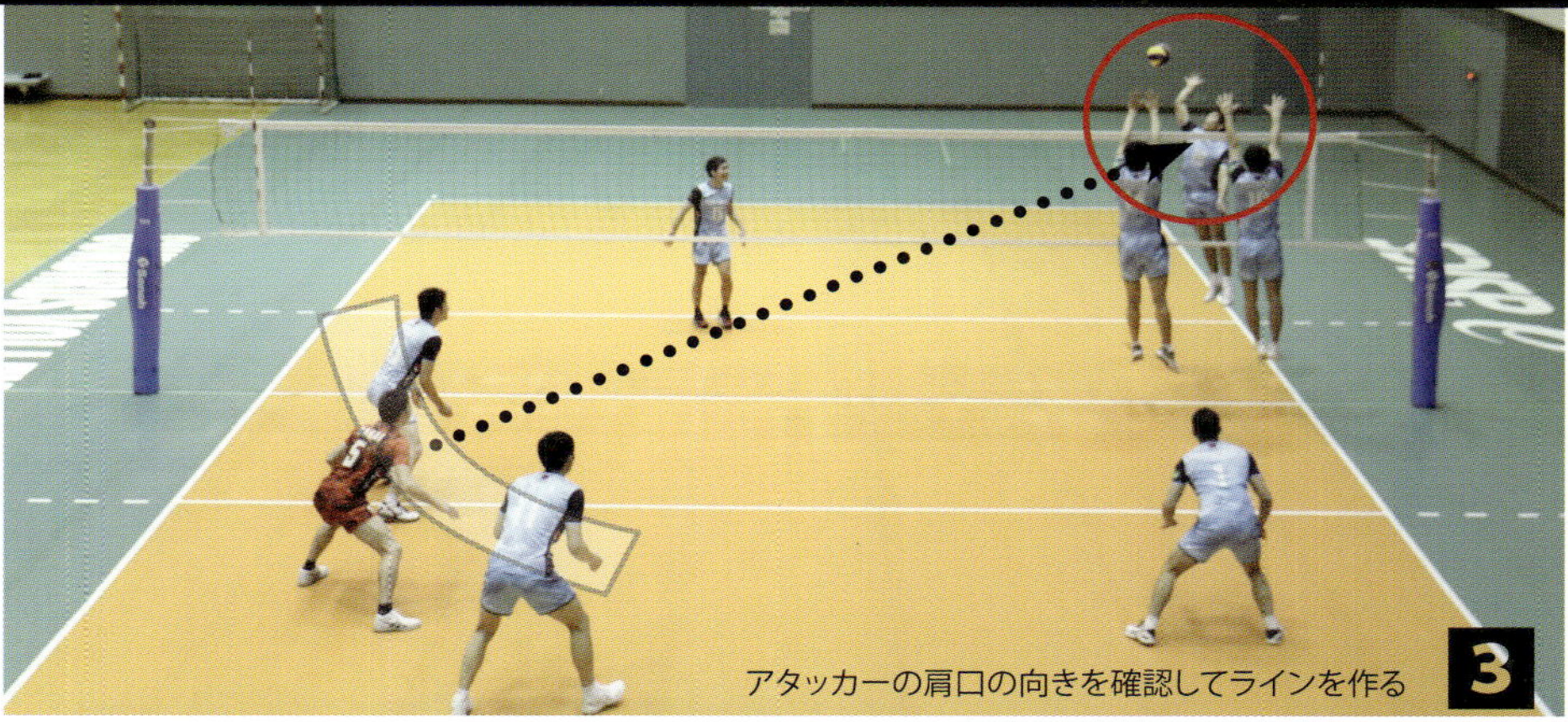

アタッカーの肩口の向きを確認してラインを作る　3

ブロッカーとかぶらない位置でボールを待つ　4

上達ポイント!

① ブロッカーとかぶらないところで構える
② レシーバー同士、横のラインを作るように意識する
③ ブロッカーとレシーバーが連携して穴を作らない

プラスワン +1

ブロックの跳び方を観察して ブロックの隙間を予測する

ブロックに隙間ができるのか、できないのか、早く判断するひとつの手段として、ブロッカーの跳び方を観察する。助走をつけて腕を多く振ってジャンプしているのか、助走なしでジャンプするのか。ブロックが完成するか否かを予測して位置取りをしよう。

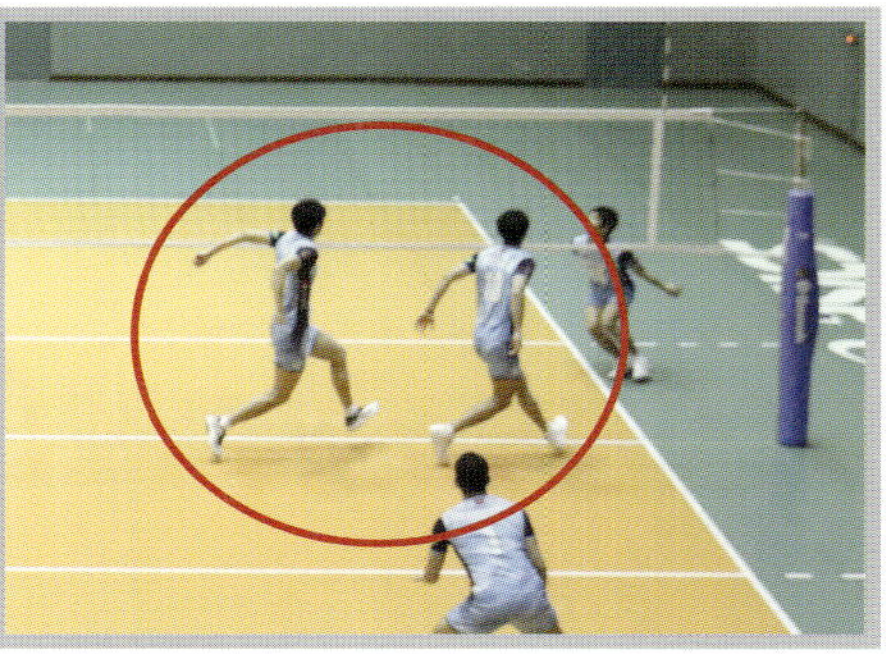

ポイント 28

ブロックとディグがかぶっている時に注意

フェイントボールの対応

1本目のボールがネットから離れ、二段トスが上がると判断

3枚ブロックに対しての、アタッカーの手首の方向をチェック

相手アタッカーは攻撃コースをブロックで締められ、コースを打ち分けられないと判断した時は、ブロックの上や横を抜くフェイントやタッチボールを狙ってくる可能性が高い。

レシーバーは、相手アタッカーがインパクトするギリギリまでスイングを観察。ブロッカーとレシーバーがかぶっていると認識したら、腕のまわし方、手首の向きからフェイントがくるかどうか判断し、コート前方へ前進する。

ブロックが3枚ついた状態のミドルからのフェイントに対しては、セッター以外の選手が拾いにいけるようにあらかじめ守備範囲を明確にしておこう。フェイントボールはブロックの上を通過するので落下するまでに時間がかかる分、心の準備ができていれば、フェイントボールは必ず拾える。選択肢を常に持てる準備を心がけよう。

手首が上に向いていたらブロックの上からフェイントがくる

コート前方へ詰め、余裕をもってディグする

上達ポイント!

① ブロックの横や上を抜けてくるボールに注意
② 相手アタッカーのスイング、手首の向きを観察
③ 想定しておけば、ボールスピードが遅いので必ず拾える

プラスワン +1

フェイントがくるコースをあらかじめ絞っておく

相手チームのトスボールが高い二段トスに対して、ブロッカーは必ずストレートを基準にして跳び、隙間を作らないようにする。そうすると高い打点からのフェイントが、ストレートやインナーにくることはない。フェイントはブロックの上からくるのでコースを絞っておく。

ポイント29

Aクイックに対してのディグフォーメーション
ブロッカーの手の出し方とタイミングを見極める

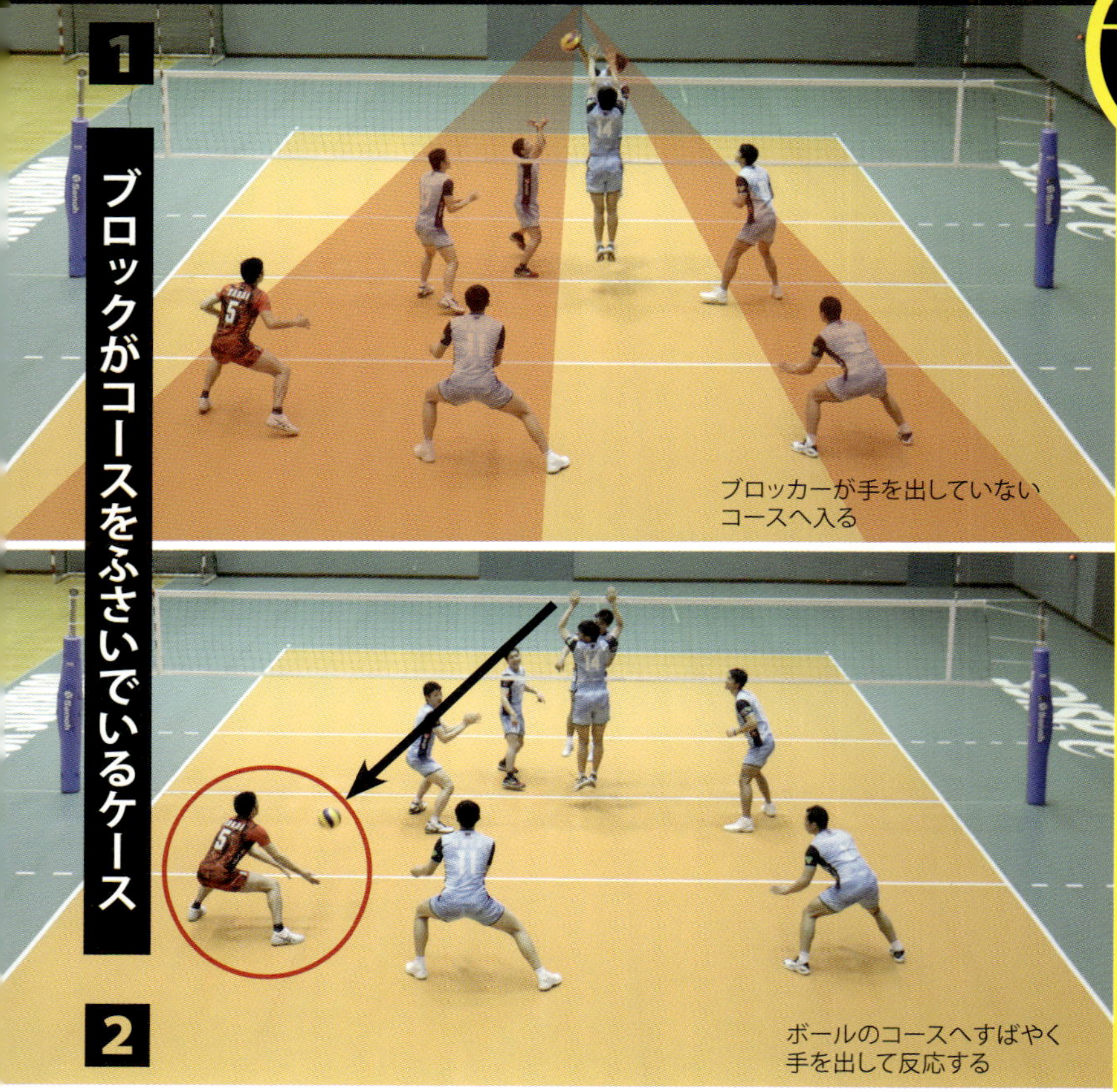

ブロッカーが手を出していないコースへ入る

ボールのコースへすばやく手を出して反応する

クイック攻撃に対してのディグは、相手のトスが上った瞬間にアタックボールがくるため、ポジション取りをすばやく行う必要がある。

ブロッカーが相手のクイックに対してしっかりコースをふさいでいるか、それとも遅れてコースが空いているか確認する。その時、ブロッカーの手の出し方もチェック。手のカタチとタイミングも視野に入れて、ブロックの状態を一瞬で見極めて、ブロッカーがふさいでいないコースに入る。

クイッカーは壁がないところへ、思いっきりスイングし打ってくるだろう。クイックに対してのディグは、技術力はもちろん、早くブロックの穴を見つけて埋められるかが、重要だ。

ブロックが遅れているケース

1

ブロックが遅れ、間が空いていることを確認

2

ブロッカーのいないコースに入り、ボールを待つ

上達ポイント!

① クイックへのディグは構えるポジションを早く決める
② ブロッカーの手の出し方、タイミングをチェック
③ ブロッカーがふさいでいないコースに入る

プラスワン +1

ブロックの動きをあらかじめブロッカーと共有しておく

ブロックの種類には、アタッカーの動きに合わせて跳ぶ「コミット」と、トスの動きに合わせて跳ぶ「リード」がある。コミットはクイック攻撃に適しているが、リードはトスが速いクイックに対して遅れやすい。ブロッカーの跳び方をしっかり共有しておこう。

ポイント30

早いタイミングで判断して『待つ』

Bクイックに対してのディグフォーメーション

ブロックがコースをふさいでいるケース

1

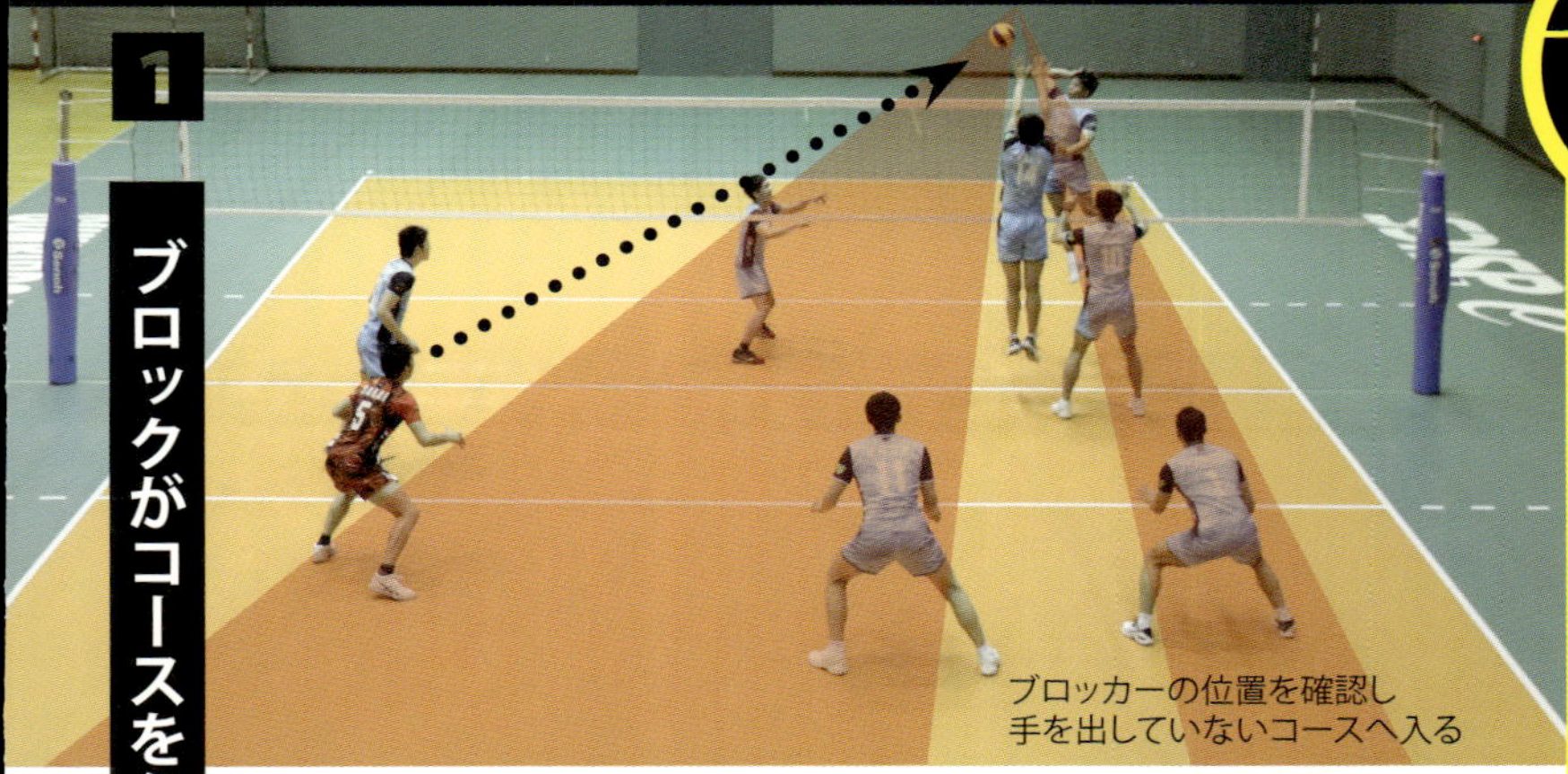

ブロッカーの位置を確認し
手を出していないコースへ入る

2

ブロッカーのいないコースに入り、ボールを待つ

相手がクイック攻撃を仕掛けてくるか、こないかをいち早く判断するには、パスがセッターにきっちり返った状態に対して、クイッカーが準備に入っているかどうかを確認する。クイック攻撃の可能性が高い時、ブロッカーはネット際で待機。トスがBクイックに上がったら、ブロッカーはトスの動きについていく。そのタイミングを見極めて、隙間ができるかどうか、できるだけ早いタイミングで判断することが大切。レシーバーは、ブロッカーの動きを確認し、構えるポジションを決め、ボールがきたら反応する。

判断するタイミングが早ければ早いほど、身体を固定して万全な状態で『待つ』ことができる。クイックに対してのディグは、そこに行きつくまでの過程が何よりも重要となる。

ブロックが遅れているケース

1

ブロックが遅れ、間が空いていることを確認

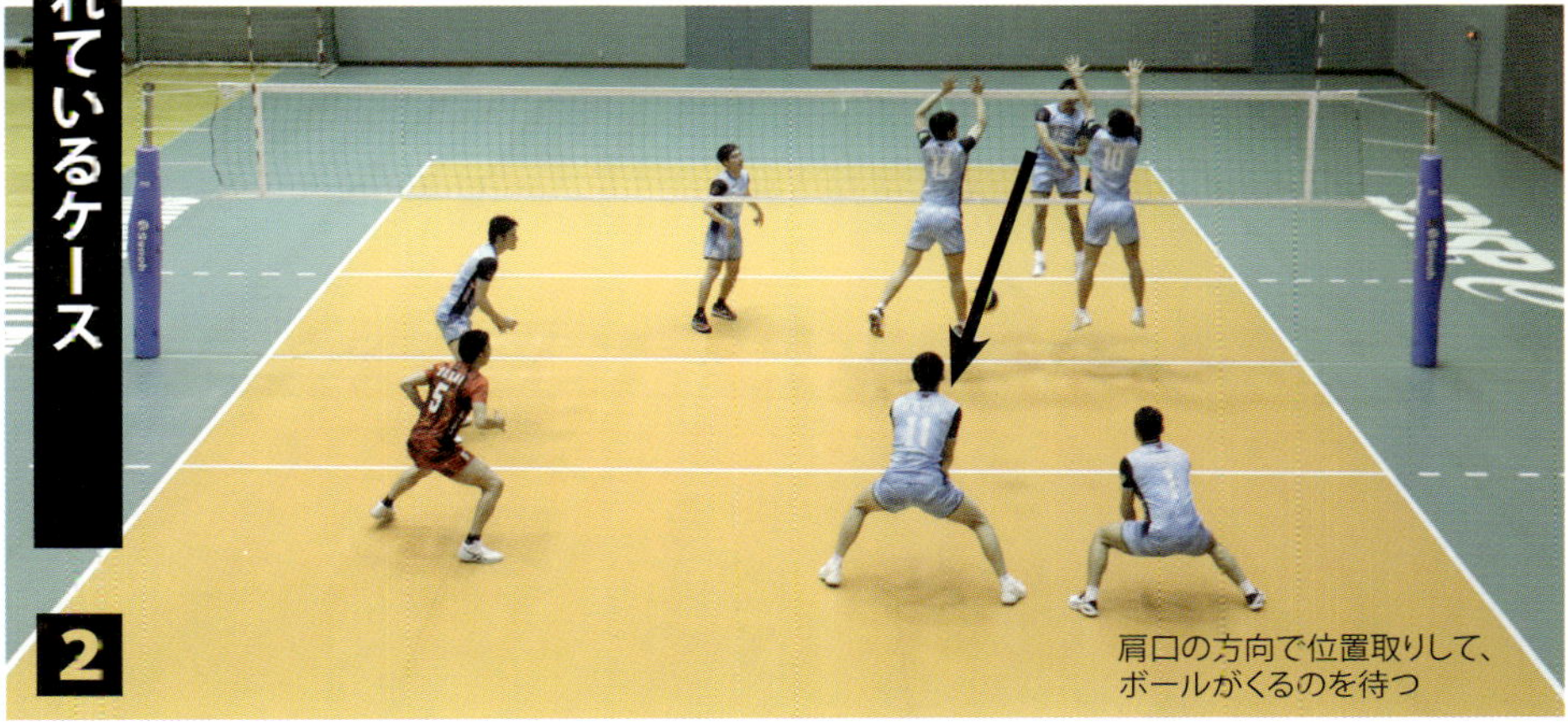

2

肩口の方向で位置取りして、ボールがくるのを待つ

上達ポイント！

① 相手のクイッカーの動きを確認する
② ブロッカーの跳ぶタイミング、位置を判断する
③ なるべく早く判断して『待つ』状態を作る

プラスワン +1

ブロッカーの動くタイミングで位置取りのタイミングも決まる

ブロッカーが跳ぶタイミングにも２種類ある。「フロント」は、アタッカーに正対し、その逆の「ステイ」はその場でギリギリまで待って移動する。レシーバーの位置取りを決める重要な要素のため、ブロッカーがフロントするのか、ステイするのか、必ず視野に入れる。

Column

2本目も自分がさわるイメージで

1

下半身で身体を支えながら、
ボールの落下地点に入る

2

自分の目の前にボールを
おさめるように上げる

ディグを成功させる技術的なコツの1つ目は、ボールを受けた時に身体が後ろに倒れないこと。2つ目は、ディグボールをセッターに返そうとするのではなく、自分の前におさめるように上げること。実際2本目のボールはさわれないが、2本目も自分がさわれる位置に上げるのが理想だ。

構える際は、重心を真下に落とし背中や太腿の後ろ、臀部で身体を支え、重心が後方へ偏らないように意識する。身体が倒れてしまうと、ボールの行方を見失い次のプレーへの準備が遅れてしまう。また、ディグボールを自分の前におさめる意識を持つことで、強いボールがきても身体を引いてしまうことがないよう、クセづけができる。この2つを身につければ、ディグボールは、後ろに弾き飛ばされることは少ない。仮に相手コートに入っても、再びディグのチャンスがくることを忘れない。

Part.6

サーブレシーブの連携を高める！

ポイント 31

チームの特徴に合わせてフォーメーションを組む

チームの特徴に
合わせて
リベロの役割を決める

上達ポイント!

① 守備のいい選手の数でフォーメーションを考える
② サーブレシーブ範囲を能力に合わせて明確にする
③ サーブレシーブ後、スムーズに攻撃できるかを考慮する

サーブレシーブのフォーメーションは、チームの特徴やレベルに合わせて決める。どのようなフォーメーションを組めば、サーブレシーブした後スムーズに攻撃できるかを考慮して組み立てることがポイントになる。

複雑なフォーメーションが難しい段階の小中学生や高校生は、セッター以外の5人がサーブレシーブに入り、守備を固めてもよい。攻守ともにレベルの高い選手が複数いるチームは、守備のいい選手を3人または4人並べて、それ以外の選手は攻撃に専念することも可能だ。

チームの特徴にリベロの役割をどう当てはめていくかが重要。どのフォーメーションにおいても、リベロはサーブレシーブ範囲を広く負担し、他の選手とのサーブレシーブ範囲を明確にしておく。

5人W型

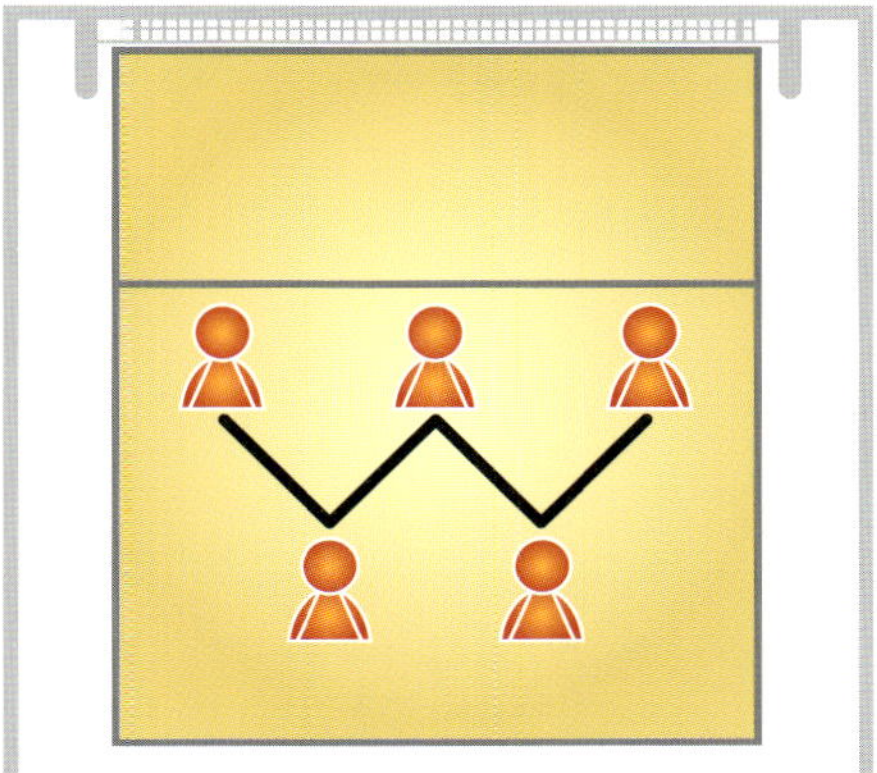

前衛の3人、
後衛の2人を配置する

5人M型

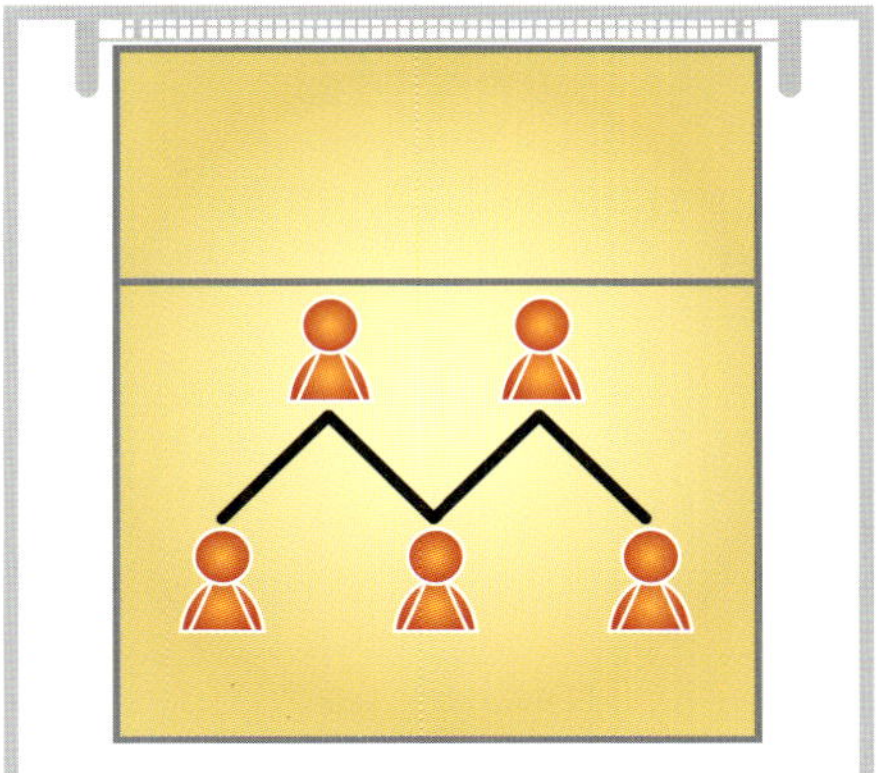

前衛の2人、
後衛の3人を配置する

3人型

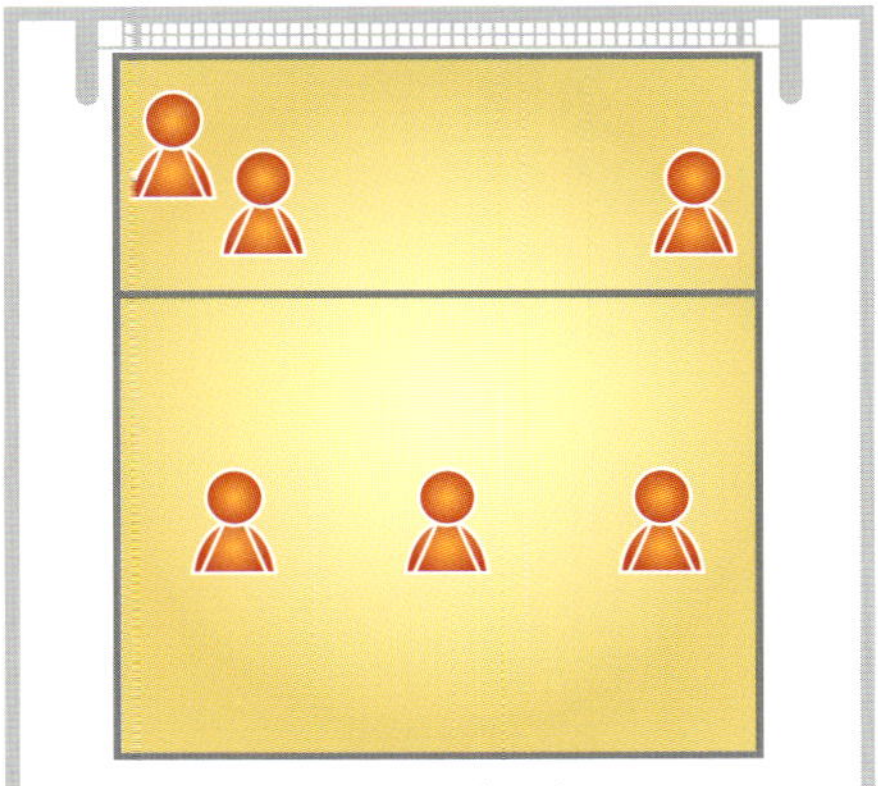

横に3人が並び、
サーブレシーブ範囲を決める

4人型

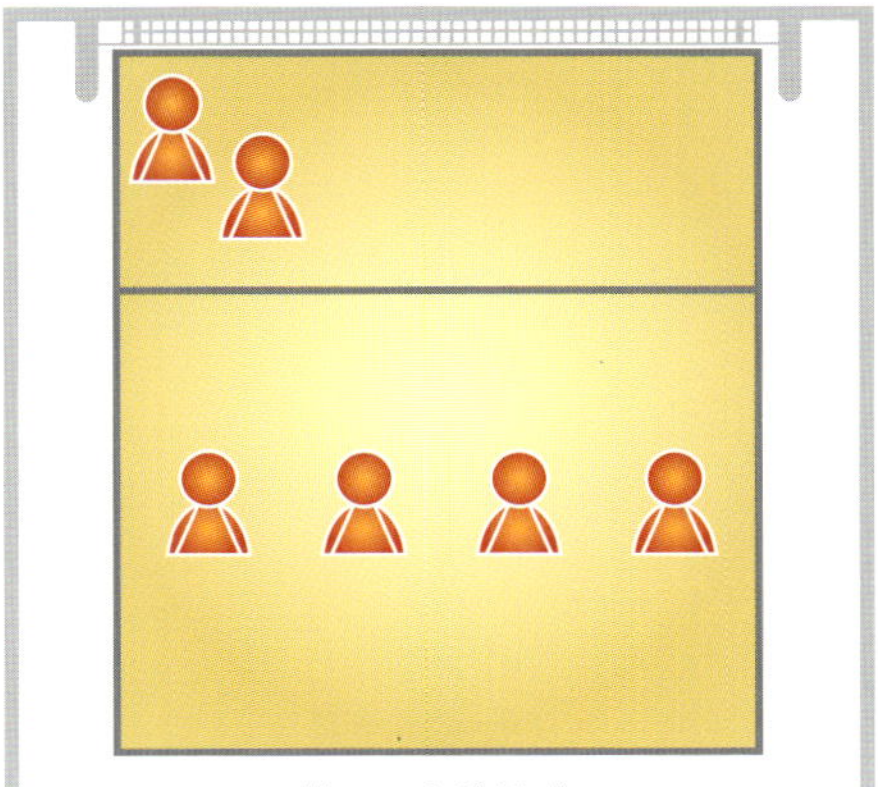

横に4人が並び、
サーブレシーブ範囲を決める

プラスワン

相手のサーブの威力によってフォーメーションを変える

パワーのあるサーブやスピードサーブに対しては、サーブレシーブフォーメーションの人数を増やして守備を強化する。相手サーバーの得意なコースを共有し、サーブレシーブを行う前に守備範囲の確認。攻撃に専念する選手も含めて、役割を明確にしておこう。

ポイント
32
コート前方を強化する
5人W型

セッターがローテーション②の時

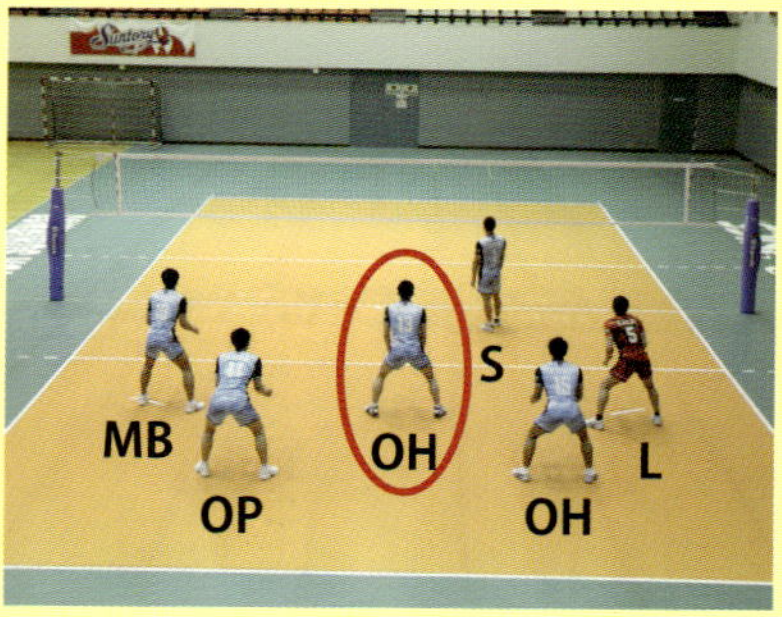

前衛のアウトサイドヒッターにボールを
とらせないようにする

セッターがローテーション①の時

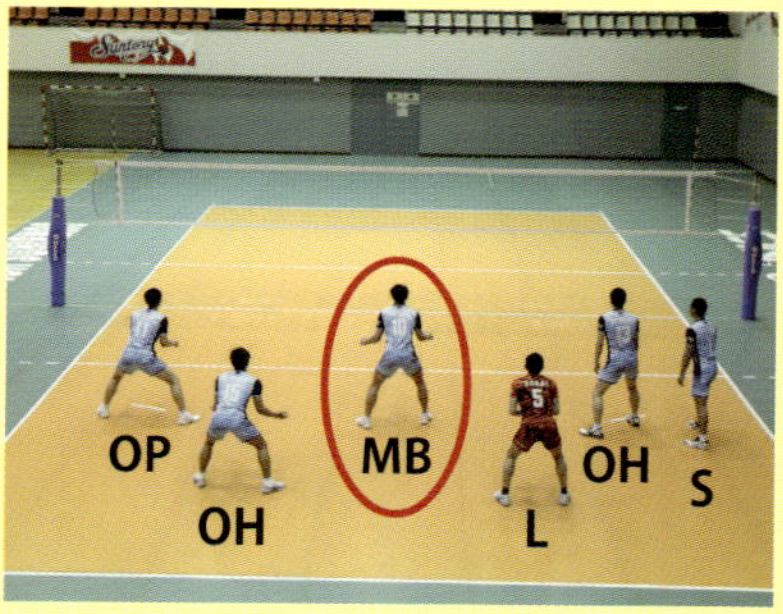

リベロはサーブを狙われやすい
ミドルブロッカーのカバーに入る

5人W型

各フォーメーションは
セッターの
ローテーション位置で表す

L　＝リベロ
S　＝セッター
OH＝アウトサイドヒッター
MB＝ミドルブロッカー
OP＝オポジット

セッター以外の5人がサーブレシーブに入り、アタックライン付近に3人、その後ろに2人が並ぶ。このカタチを結ぶと「W」のようになるため、「W型」と呼ばれている。セッターが後衛にまわるローテーションの時、セッターはアウトポジションにならない、セットアップに入れるポジションで構える。

前衛で構えている選手は、攻撃に入らなければいけない。サーブレシーブは、しっかりジャッジラインを作り、極力、リベロや後衛の選手がサーブレシーブする。また、ハンドリングに自信がある選手は、前衛の時にオーバーハンドサーブレシーブを取り入れると、スムーズにスパイクの助走に入れる。リベロは、前衛の選手がとった時は、必ず後ろでフォローに入るようにしよう。

セッターがローテーション④の時

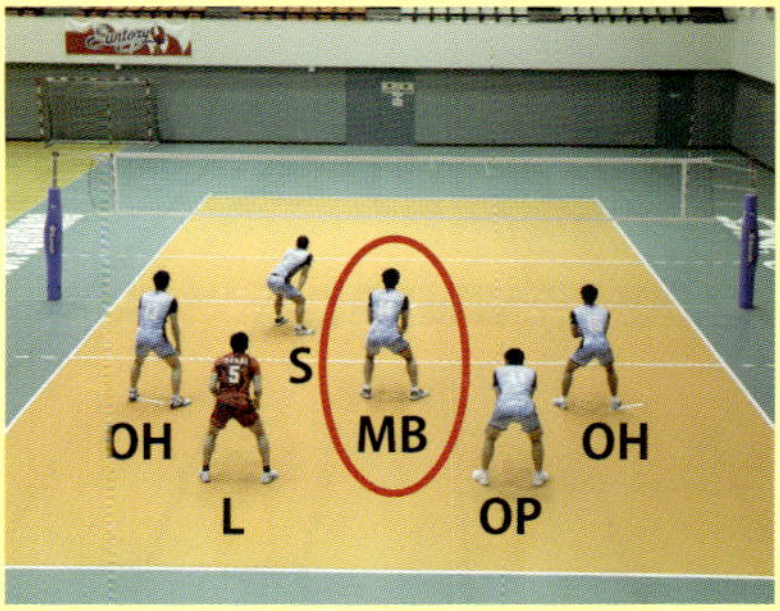

前衛のミドルブロッカーを
カバーする

セッターがローテーション③の時

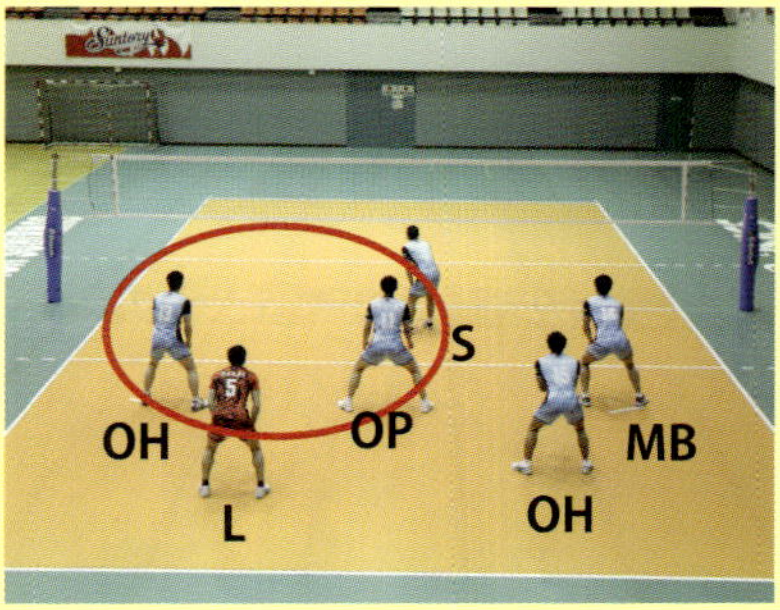

アウトサイドヒッター、オポジットが
攻撃できるようにカバーする

セッターがローテーション⑤の時

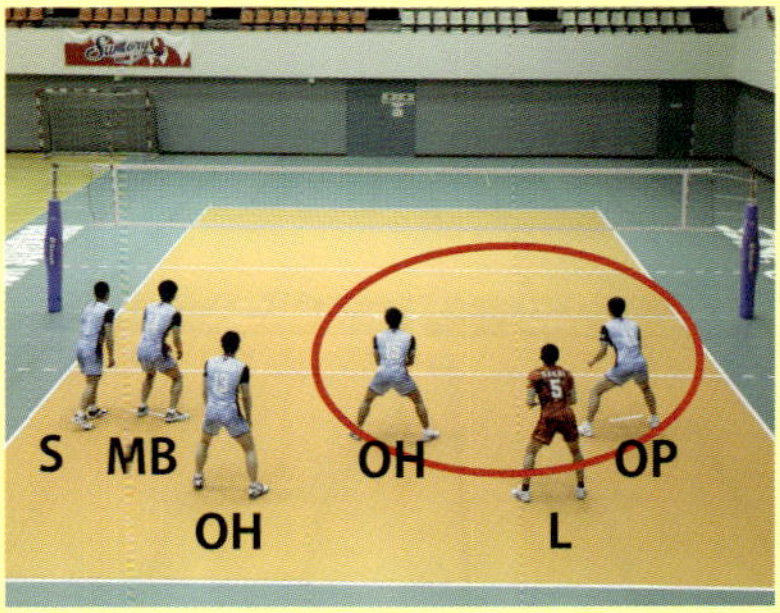

アウトサイドヒッターとオポジットの範囲を
狭める意識を持つ

セッターがローテーション⑥の時

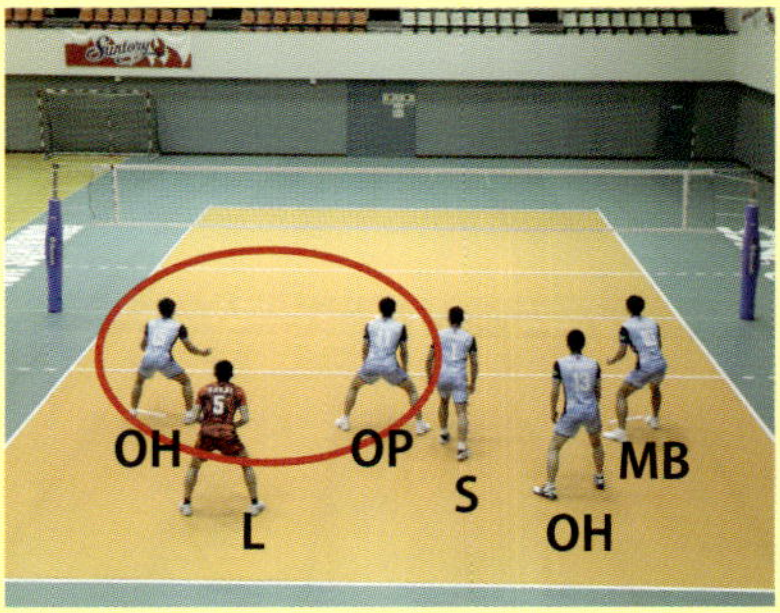

前衛のアウトサイドヒッターとオポジットの間を
カバーする

上達ポイント！

① 前後のボールを誰がとるかジャッジの基準を作る
② 前衛の選手はオーバーハンドを用いてもよい
③ 前衛の選手がとる時にリベロは必ずフォローに入る

プラスワン +1

サーブを打つゾーンによって サーブレシーブの範囲を決める

サーブレシーブの範囲は、相手のサーバーの打つ位置で決めておくとよい。ゾーン5から打ってきてAとBの間にきた場合は、Aの選手がサーブレシーブを行う。またゾーン1から打ってきた場合は、Cの選手がとる。練習時から「間」のボールがとれるように練習に取り組もう。

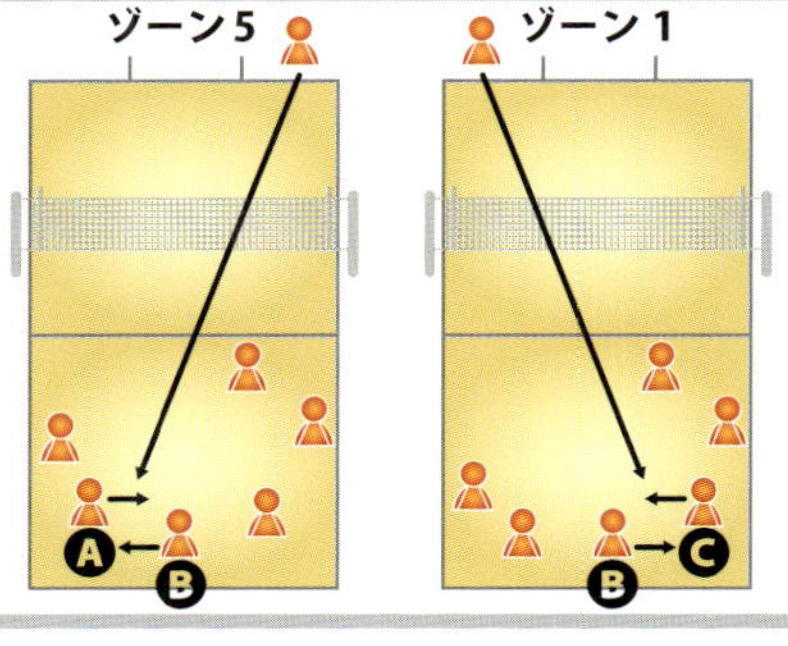

ポイント 33

5人M型
コート後方を強化する

セッターがローテーション②の時

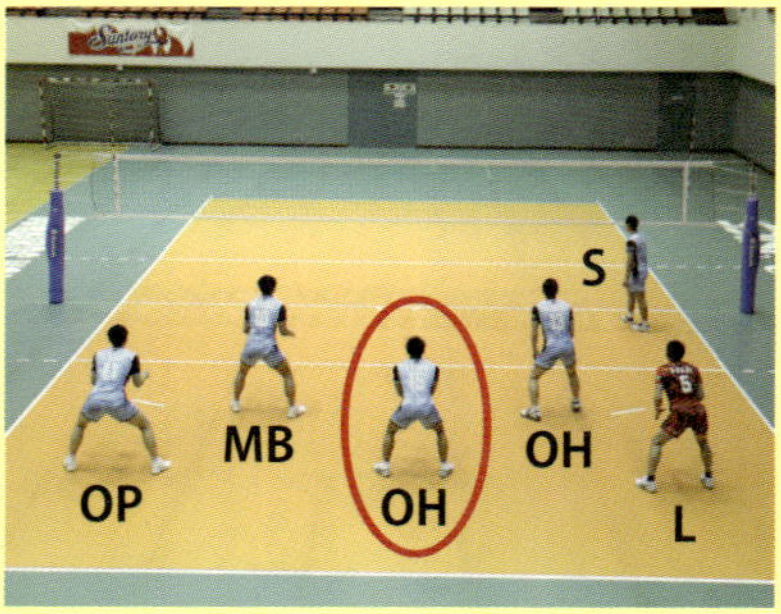

後衛のアウトサイドヒッターの
フォローを意識する

セッターがローテーション①の時

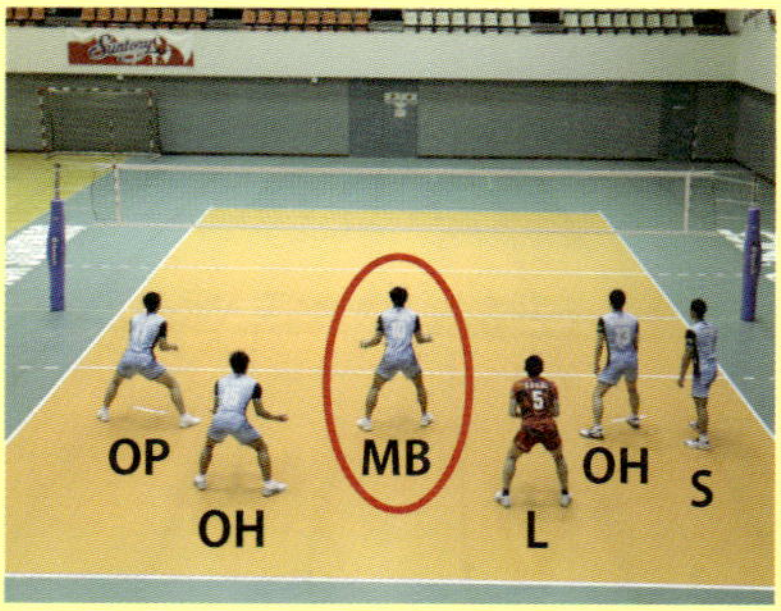

サーブが狙われやすいミドルブロッカーの
カバーに入る

5人M型

各フォーメーションは
セッターの
ローテーション位置で表す

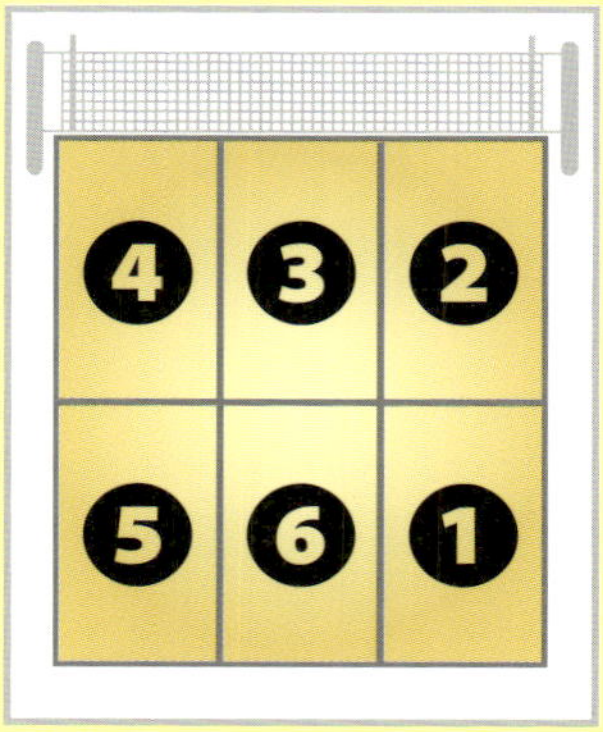

L ＝ リベロ
S ＝ セッター
OH ＝ アウトサイドヒッター
MB ＝ ミドルブロッカー
OP ＝ オポジット

アタックライン付近に2人、その後ろに3人が並ぶカタチを「M型」と呼ばれている。「W型」は、前衛にシフトするフォーメーションだが、「M型」は後衛の選手が中心となって行うフォーメーション。セッターが後衛にまわるローテーションの時は、「W型」で配置する。セッターはアウトポジションにならない、セットアップに入れるポジションで構える。

とくに気をつけたいのは、ミドルポジションにサーブがきた時のジャッジだ。基本的に前衛の選手は攻撃がメインであるため、前衛のミドルポジションにサーブがきた時はどちらのアタッカーがサーブレシーブに入るのか、あらかじめ確認しておこう。その時のローテーションの攻撃力のバランスを考慮して、サーブレシーブフォーメーションを考えるのが大切。

セッターがローテーション④の時

セッターが前衛に上がったら
後衛を３人で守る

セッターがローテーション③の時

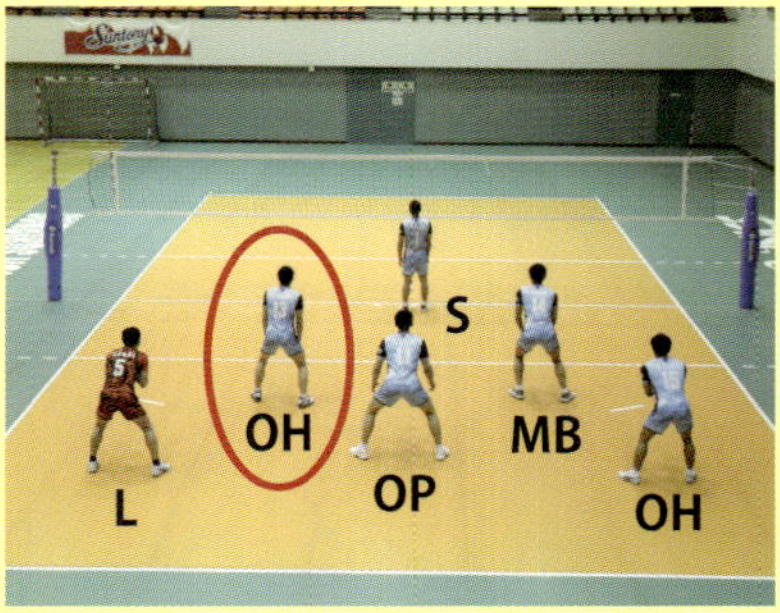

前衛のアウトサイドヒッターが攻撃に
入れるように意識する

セッターがローテーション⑤の時

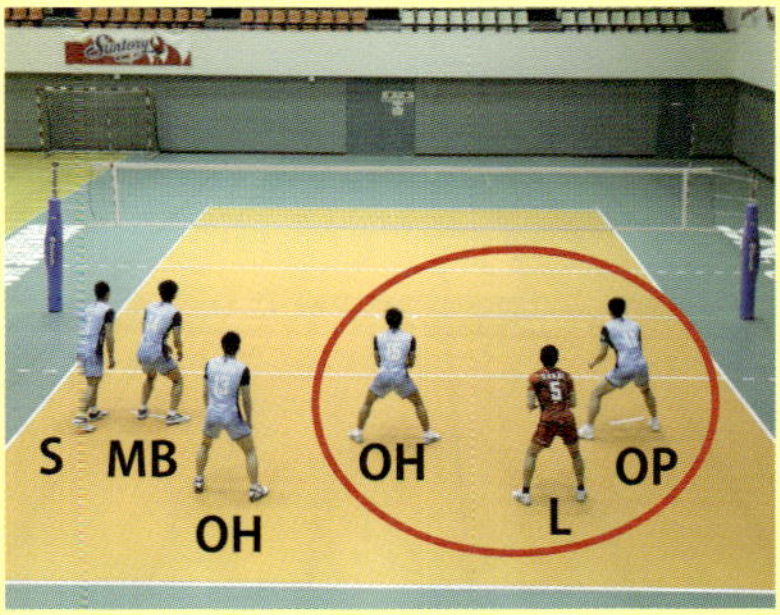

セッターが後衛の時は「W 型」にする。
前衛のスパイカーをカバーする

セッターがローテーション⑥の時

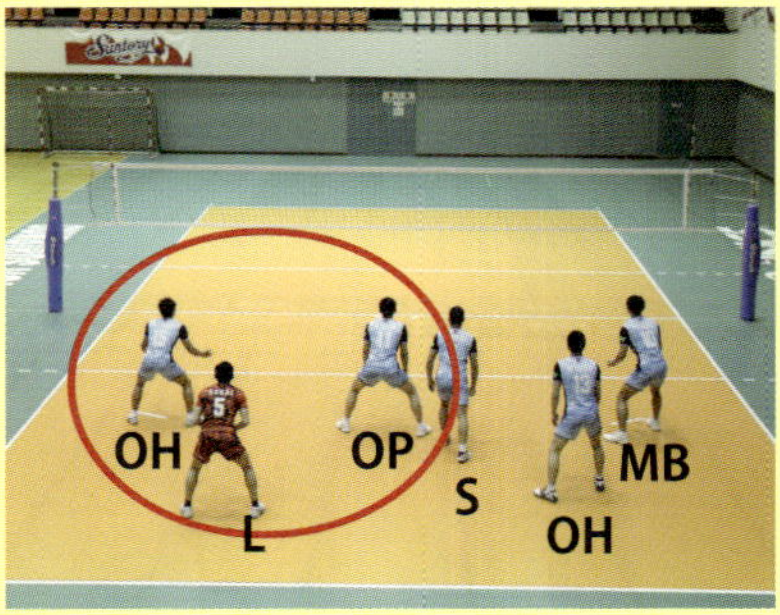

前衛のアウトサイドヒッターとオポジットの間を
カバーする

上達ポイント！

① 後衛を強化したい時に取り入れる
② セッターはアウトオブポジションに注意する
③ 攻撃のバランスを考えてサーブレシーブ範囲を決める

プラスワン +1

自分がとるのか、とらないのか。ジャッジを明確にする

サーブレシーブは、ボールをとらない人の動きが大切。自分がサーブレシーブに入るのか、入れないのかを表現しなければいけない。自分がサーブレシーブする時は「ＯＫ」と声を出し、サーブレシーブしない時は必ずとるべき選手の名前をコールしよう。

ポイント 34

3人型
攻撃のバリエーションを組み立てる

セッターがローテーション②の時

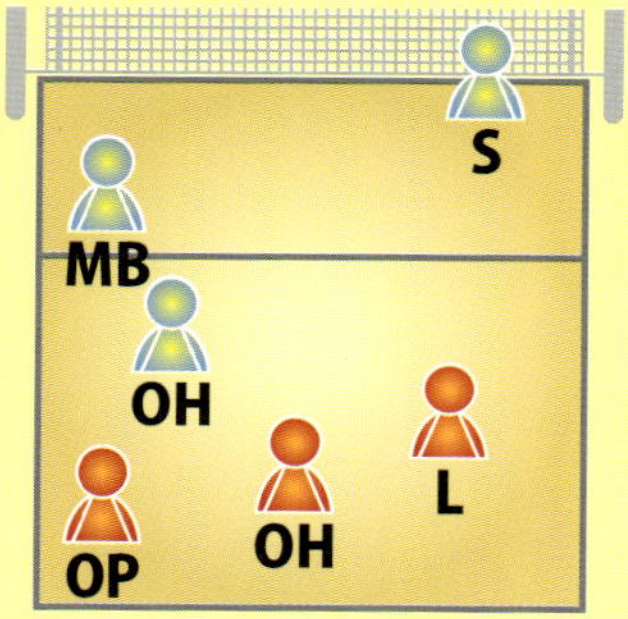

後衛のアウトサイドヒッターのボールをカバーする

セッターがローテーション①の時

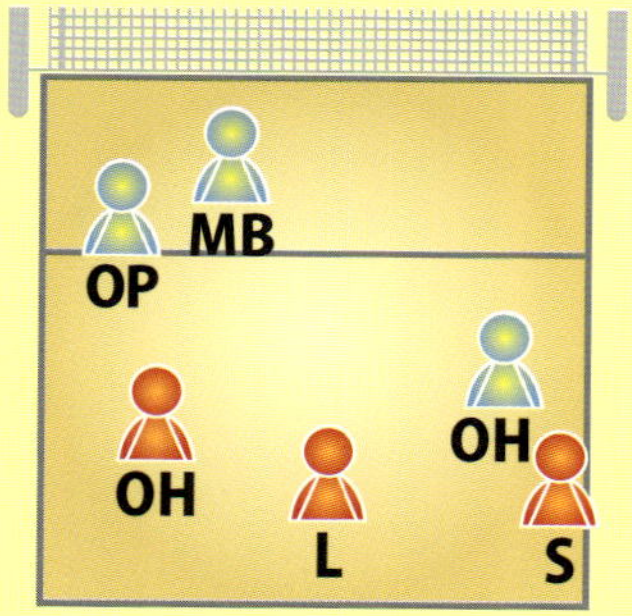

前衛右のアウトサイドヒッターのボールをカバーする

3 人型

各フォーメーションは
セッターの
ローテーション位置で表す

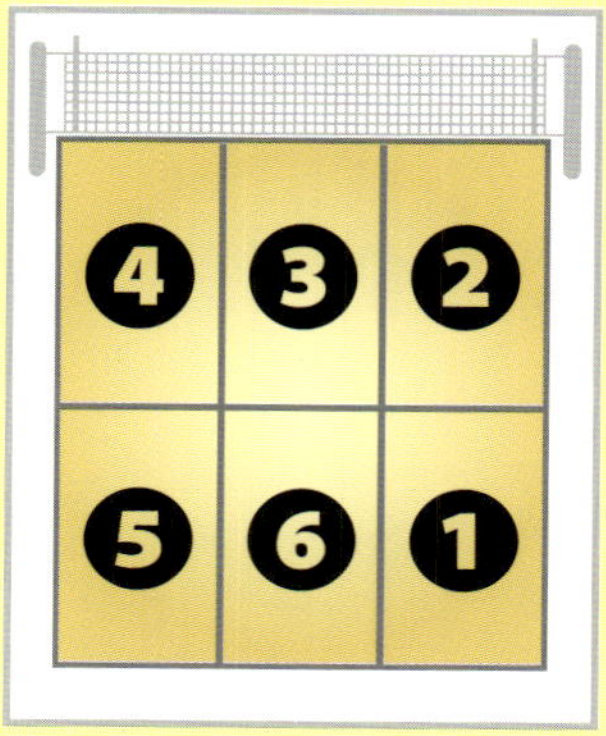

L ＝リベロ
S ＝セッター
OH＝アウトサイドヒッター
MB＝ミドルブロッカー
OP ＝オポジット
＝前衛
＝後衛

5人型の次に多く使われているのが、リベロと前衛、後衛のアウトサイドヒッター2人が入る3人型のフォーメーションだ。前衛のミドルブロッカーとオポジットは、サーブレシーブに入らないため、攻撃の準備に専念できるメリットがある。アウトサイドヒッターのサーブレシーブ能力が高ければ、このフォーメーションで固めて、攻撃のバリエーションを優先して組み立てていくといいだろう。

相手チームがサーブを打つ際、前衛、後衛のローテーションの位置を崩さないようにして3人が横のラインを作る。1人の守備範囲はおよそ3m範囲内となるが、アウトサイドヒッターの1人は前衛の選手。相手チームも攻撃に参加させないように狙ってくるため、極力カバーできるように意識しておく。

セッターがローテーション④の時

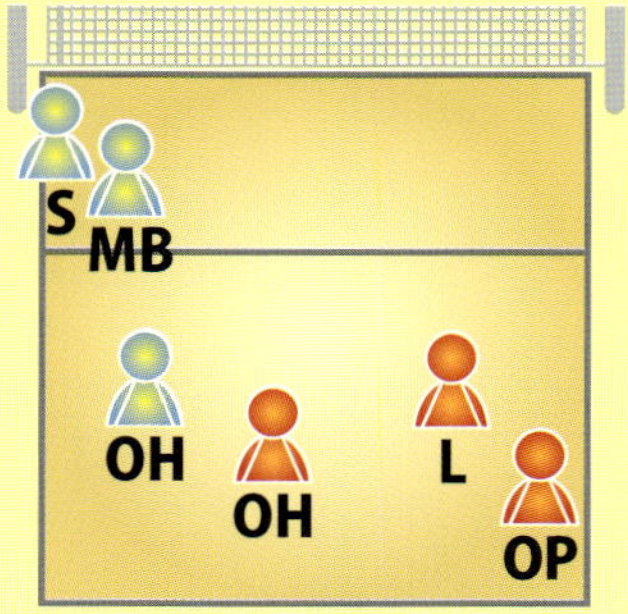

オポジットの移動を頭に入れて
サーブレシーブに入る

セッターがローテーション③の時

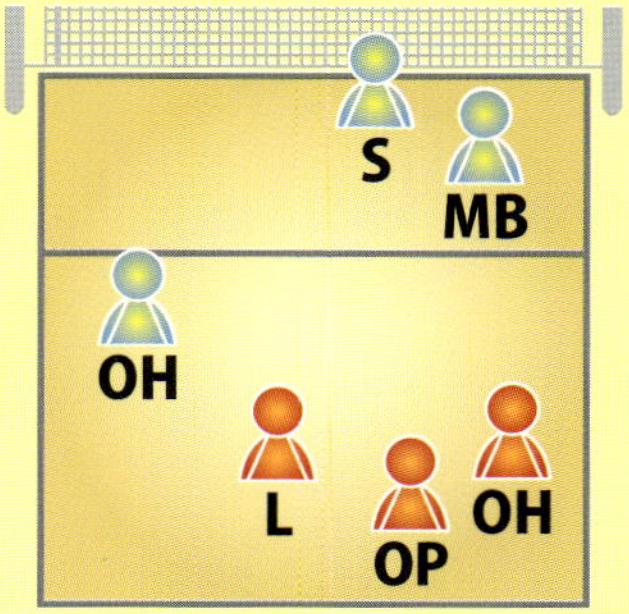

前衛左のアウトサイドヒッターのボールを
カバーする

セッターがローテーション⑤の時

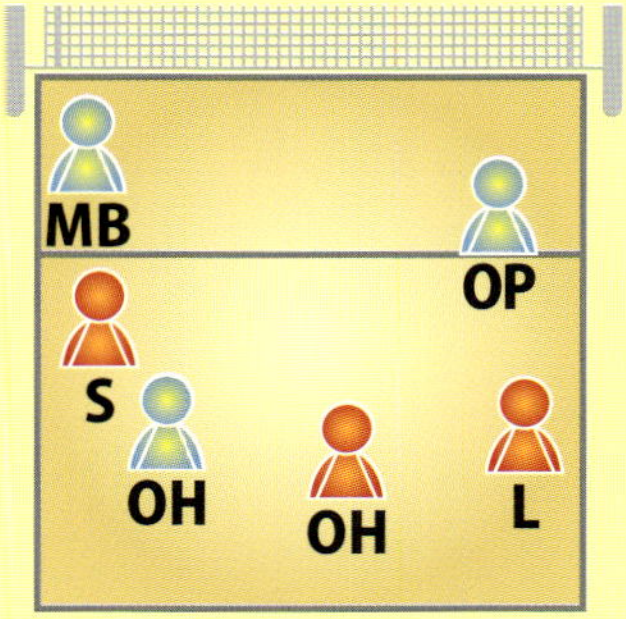

2 人並んだアウトサイドヒッターの
範囲を狭める意識を持つ

セッターがローテーション⑥の時

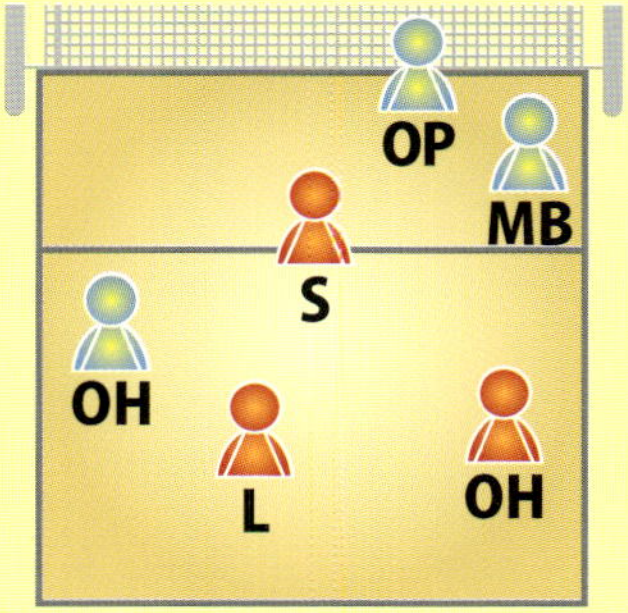

前衛左のアウトサイドヒッターのボールを
カバーする

上達ポイント!

① 守備のいい選手が 3 人いれば、3 人型を用いる
② それ以外の選手は攻撃に専念する
③ リベロの守備範囲を広めに設定する

プラスワン +1

強化をしたところを あえて狙ってくる場合もある

サーブレシーブを強化したい時の一つの戦略としてレシーバーを投入することもある。相手チームはリベロ、レシーバーを避けてくるケースもあるが、しっかりウォーミングアップできていないレシーバーをあえて狙ってくる時もあるので注意しよう。

ポイント 35

3人型の守備範囲

リベロは広い範囲でサーブレシーブする

中高生のレベルでは、3人型は難しいかもしれないが、サーブレシーブ範囲を明確にすれば、挑戦可能だ。3人型のメリットを最大限に活かすためには、リベロがコートの40～45％の範囲を受け持つ。前衛のアウトサイドヒッターなど攻撃に比重を置きたい選手のサーブレシーブ範囲を狭めて攻撃に専念させる。

数値で決めていても、実際の試合ではリベロを回避してサーブを打ってきたり、選手間やライン際を狙われたり、うまくいかないことも少なくない。サーブレシーブが安定しない時こそ、リベロは各選手の調子を見極めて指示しなければならない。「正面にきたボールだけとる」「ライン際にきたボールだけとる」など、サーブレシーブ範囲の責任範囲をより明確にする。

3人型の守備範囲

各フォーメーションは
セッターの
ローテーション位置で表す

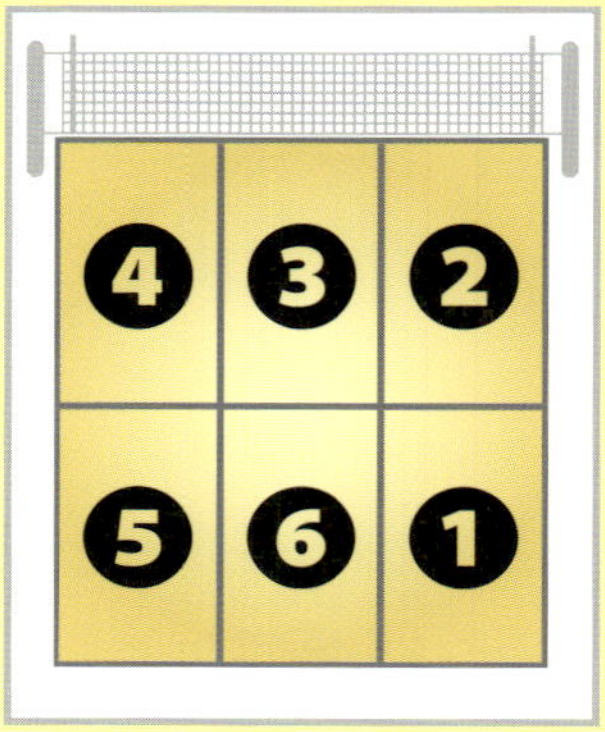

L ＝リベロ
S ＝セッター
OH＝アウトサイドヒッター
MB＝ミドルブロッカー
OP＝オポジット
（水色の人形）＝前衛
（オレンジの人形）＝後衛

セッターがローテーション②の時

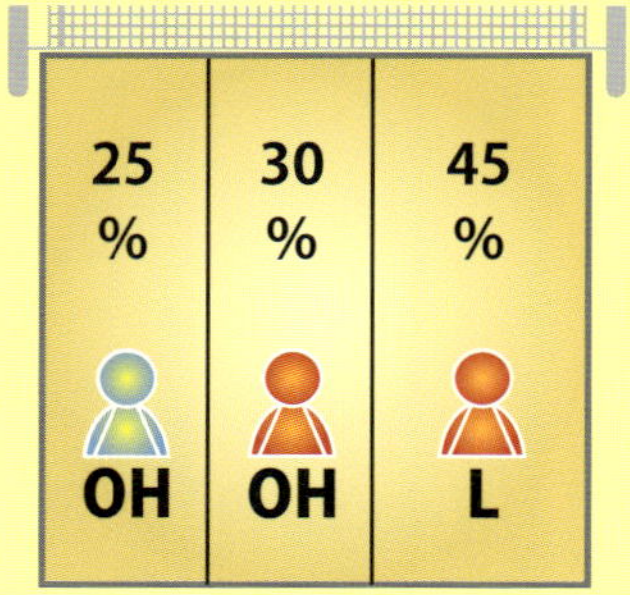

リベロは右サイドにいるが、
広いスペースを受け持つ

セッターがローテーション①の時

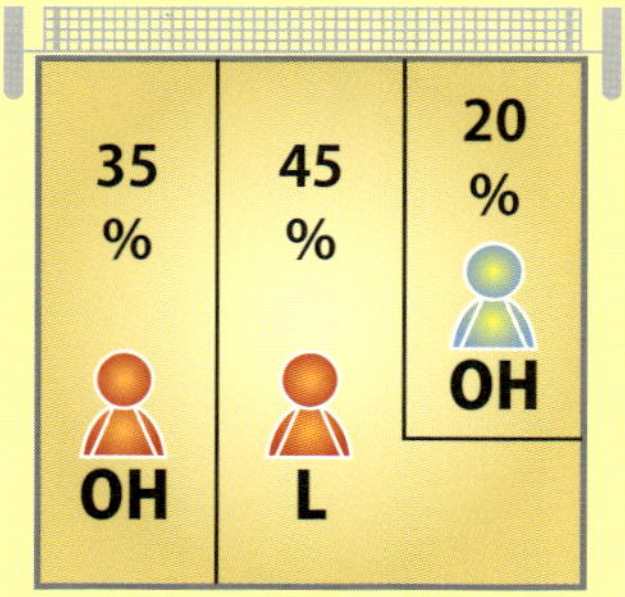

リベロはおよそ半分のスペースを受け持ち、
前衛の範囲を狭める

セッターがローテーション④の時

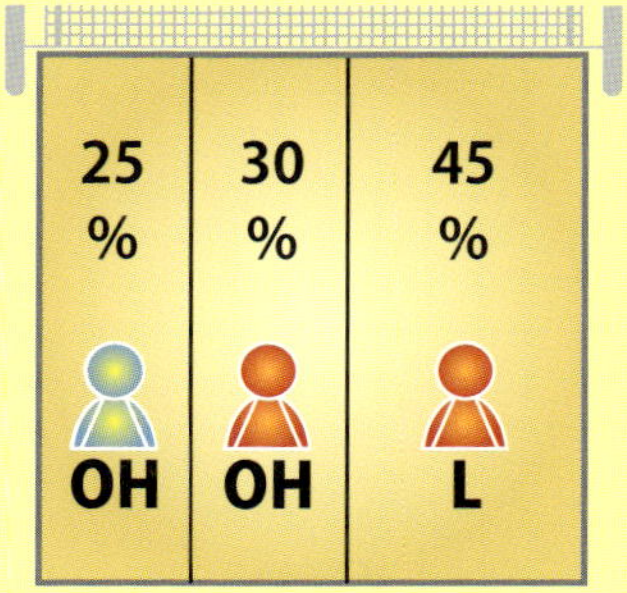

リベロは右サイドにいるが、
およそ半分のスペースを受け持つ

セッターがローテーション③の時

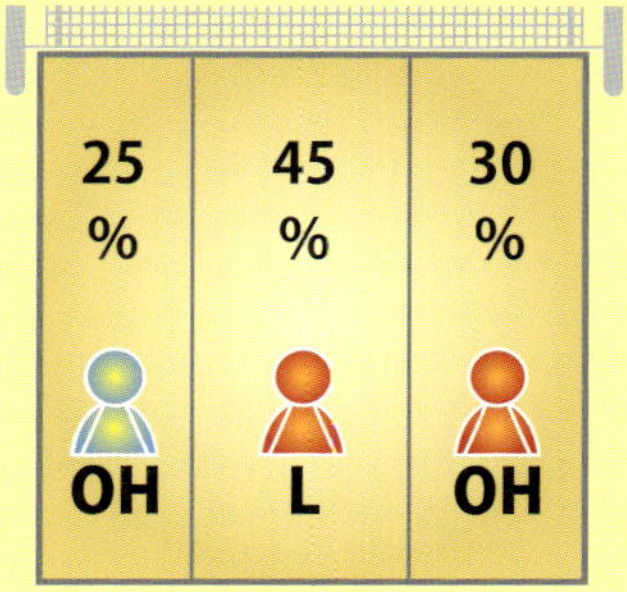

リベロが中心となり、
およそ半分のスペースを受け持つ

セッターがローテーション⑤の時

後衛のアウトサイドヒッターとの間のボールを
カバーする

セッターがローテーション⑥の時

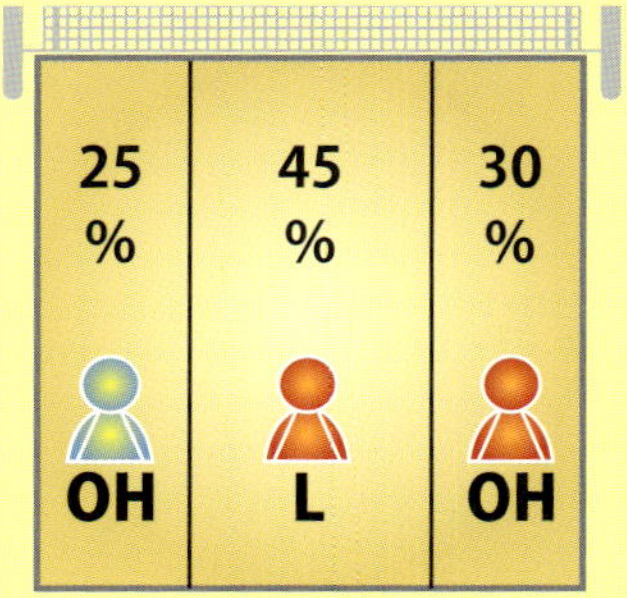

リベロが中心となり、
およそ半分のスペースを受け持つ

上達ポイント!

① リベロの守備範囲は 40 ～ 45%
② 前衛のスパイカーは 25 ～ 30%
③ 安定しない時は範囲をさらに絞り込む

プラスワン

2人型で負荷をかけて 3人型をマスターする

最初の段階は、3人型と4人型を使い分けてもいい。また3人型をマスターするうえでの練習方法として、フローターサーブに対し2人型のサーブレシーブフォーメーションを行う。リベロ60%、アウトサイドヒッター40%など範囲を設定して負荷をかけて練習に取り組む。

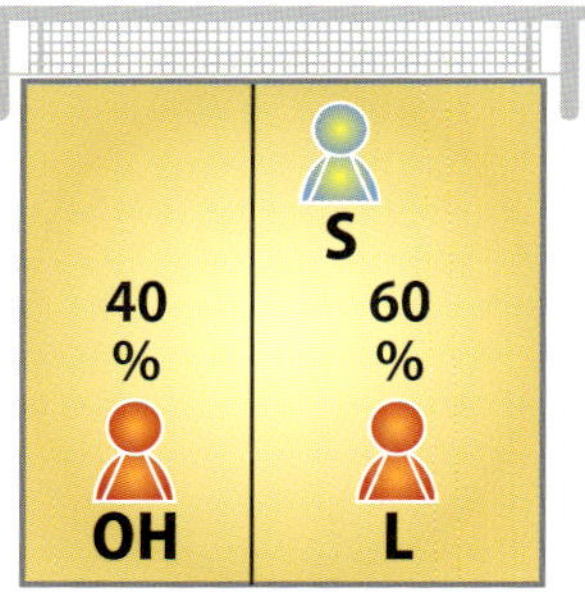

ポイント 36

4人型 ビッグサーバーに対してのフォーメーション

セッターがローテーション②の時

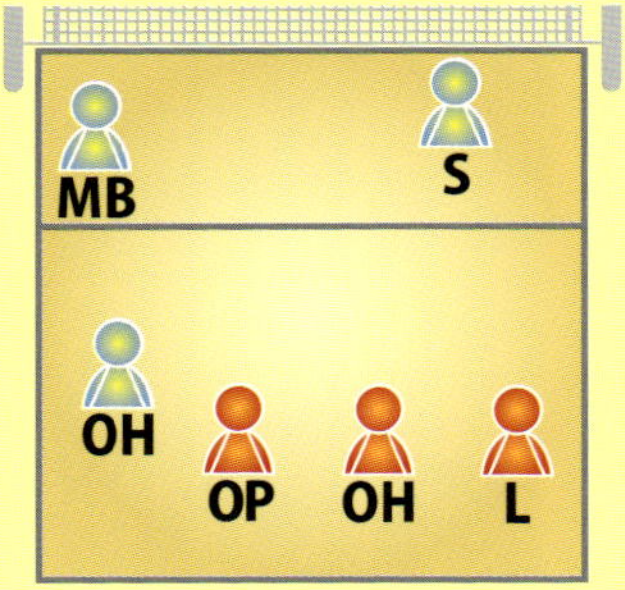

リベロは右サイドにいるが、
広いスペースを受け持つ

セッターがローテーション①の時

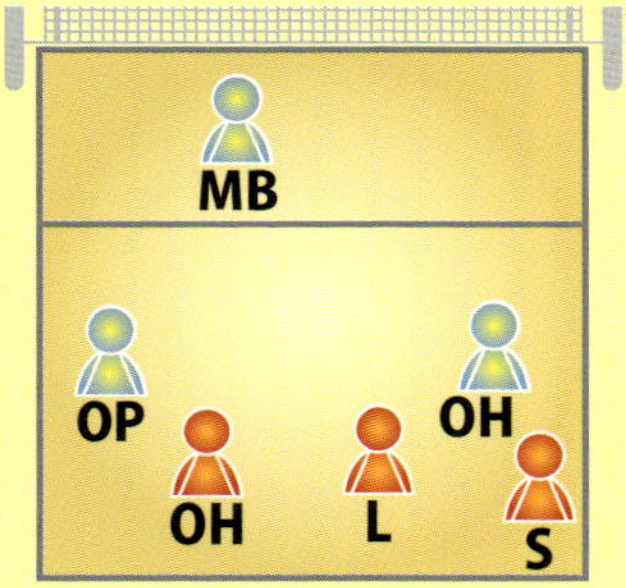

両サイドのアウトサイドヒッターとの範囲を
明確にする

4人型

各フォーメーションは
セッターの
ローテーション位置で表す

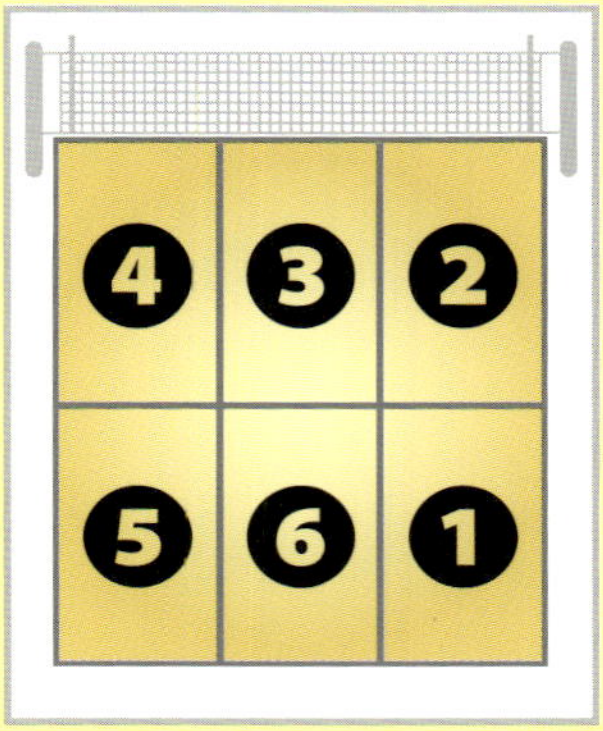

L ＝リベロ
S ＝セッター
OH＝アウトサイドヒッター
MB＝ミドルブロッカー
OP ＝オポジット
＝前衛
＝後衛

ミドルブロッカーで攻撃に専念させたい選手がいる時に適しているのが、4人型フォーメーション。リベロ、アウトサイドヒッター2人、オポジットがサーブレシーブに入り、4人で横のラインを引く。

普段から3人型を取り入れているチームは、強力なビッグサーバーが打つ時やサーブレシーブを安定させたい時に、この4人型を取り入れるとよい。サーブのスピードが速い時は、1人1人の守備範囲を絞ることで、サーブレシーブに集中することができる。

注意すべき点は、コート前方が空いてしまうこと。ネットインサーブや打ち損じなど、サーバーのフォームをギリギリまで確認して、コート前方にボールがくるかどうかを確認しておこう。

セッターがローテーション④の時

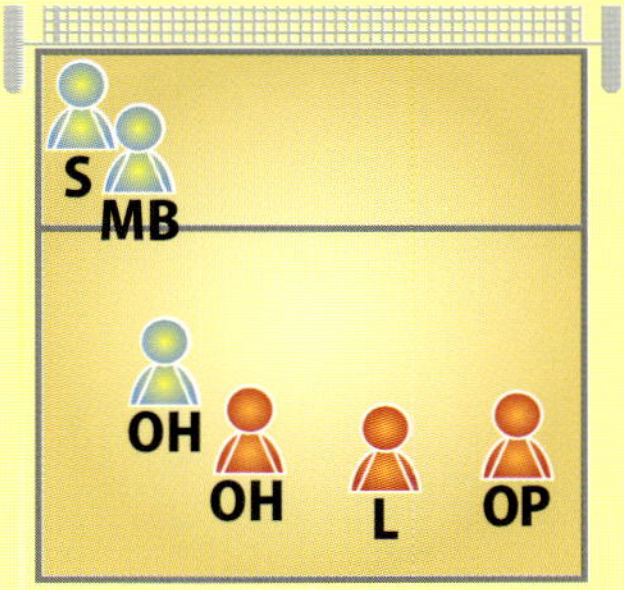

4人の中心となり、
とる範囲を明確にしておく

セッターがローテーション③の時

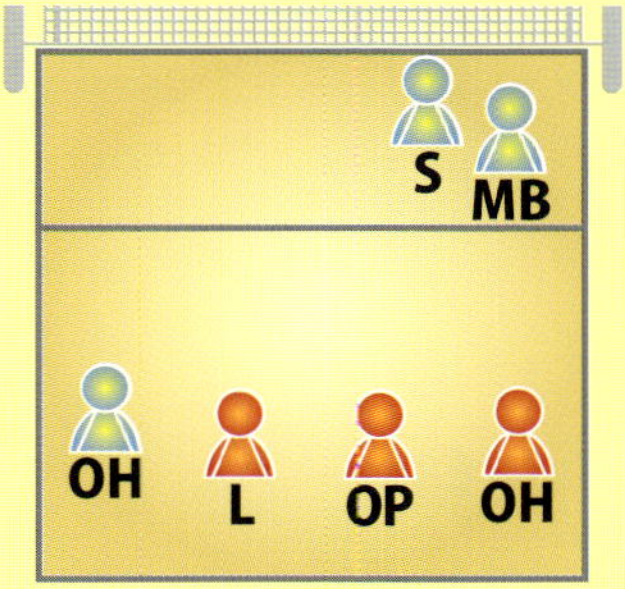

前衛のアウトサイドヒッターには
とらせない

セッターがローテーション⑤の時

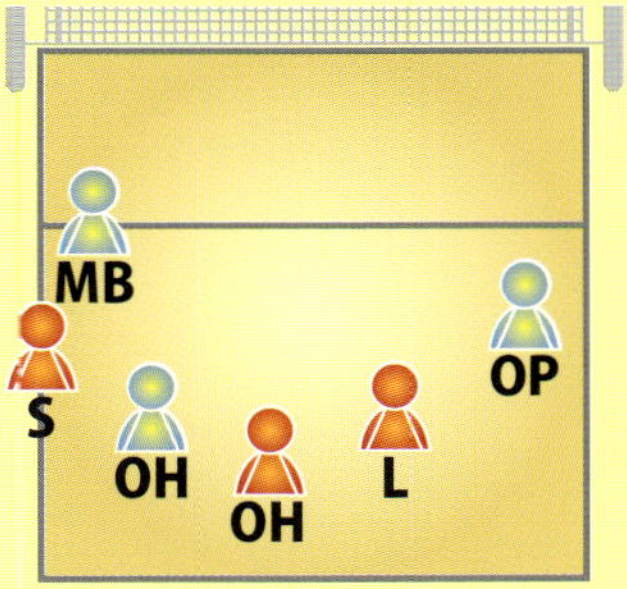

右サイドのオポジットのフォローを忘れない

セッターがローテーション⑥の時

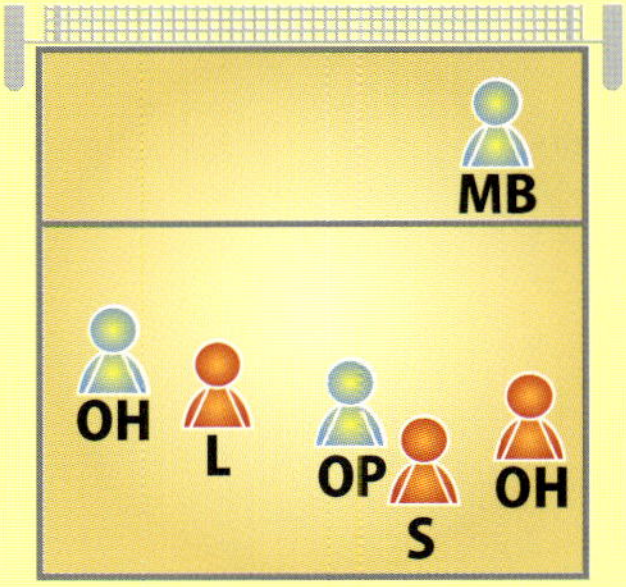

できるだけ前衛のアウトサイドヒッターには
とらせない

上達ポイント!

① ビッグサーバーに対して有効なフォーメーション
② 4人で横のラインを作り、強打に備える
③ ネットインや前方のサーブは注意が必要

プラスワン

二段トスを上げられるように準備をしておく

強烈なサーブは、セッターへ正確に返すのは難しい。サーブレシーブした選手は、自分の目の前におさめる意識で反応する。セッターがそのボールを上げられなかったら、周囲の選手は二段トスを上げにいく。サーブレシーブをしないからといって、そこで仕事は終わりではない。

Column

サーブレシーブ&二段トス

組織的なシステムを明確にする

誰がコートに立っても同じシステムを実行できるようにする

ディグのディフェンスシステム同様、サーブレシーブを成功させるためにも組織的なシステムが重要だ。サーブレシーブ範囲を広く持つリベロの返球率を上げることも大切だが、サーブレシーブのフォーメーションをチームでしっかり確立することを目指す。フォーメーションごとのサーブレシーブ範囲を明確にしておくことで、どの選手がコートに入ってもそれを実行するだけでよい状態にしておく。

また、サーブレシーブが乱れた時のことも想定して練習を行う。セッターに返せないと思った時はどこにボールを上げるのか、二段トスはこのフォーメーション時はどこに上げるのか、チームの特徴を踏まえてあらかじめコンセプトを立てておくこともポイントだ。

Part.7
ディグ力がアップする練習法

ポイント
37

2人組対人パス
違う動きを取り入れてパス前後の視野を広げる

ディグ、サーブレシーブの基本となるプレーがパスだ。オーバーハンドパス、アンダーハンドパスで正確にボールコントロールすることが、ディグとサーブレシーブのベースとなる。２人組で行う練習は目標物ができる。パスの相手が動かないようにコントロールを意識する。

通常のオーバーハンド、アンダーハンド以外にも、胸の前から投げてパスしたり、床へバウンドしたり、床にボールを転がすなど違う動きを入れる。そのボールを足元から下半身、上半身でボールを受け取ることで、パス前後の視野を広げることができる。

ボールを足で止めて送り出したり、ボールを弾ませて送り出すなど、パス以外のボール運びもしっかりコントロールしよう。

コツ01 バウンドボールを視野に入れる

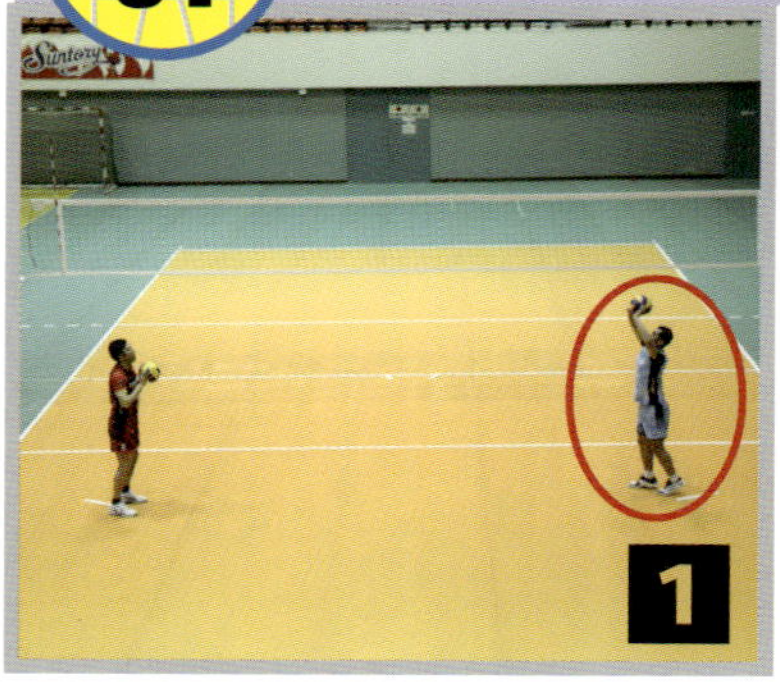

1人が先にオーバーハンドパスを行う

相手は床にバウンドさせてボールを送り出す

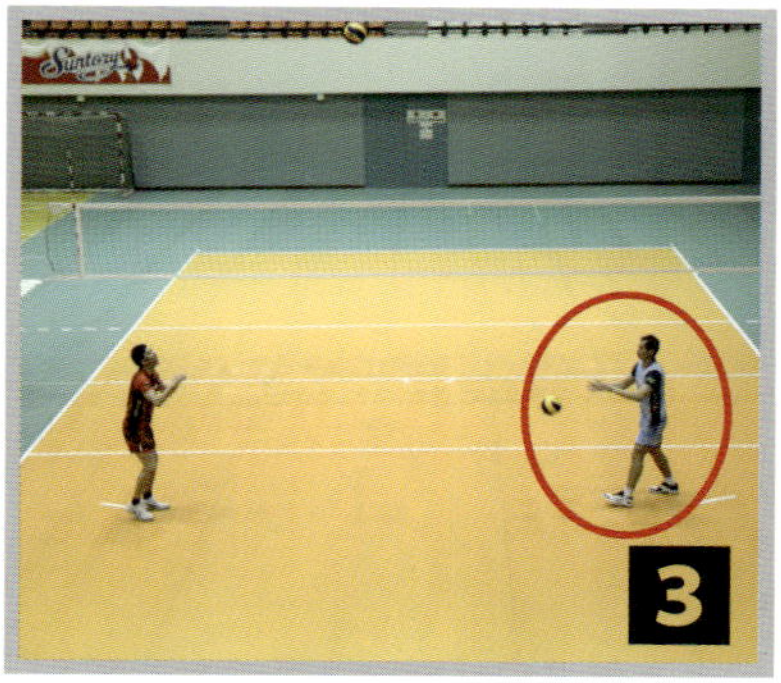

パスした方は、ボールを受け取る準備をする

バウンドさせた方は、オーバーハンドパスを行う

コツ 02 チェストパスを視野に入れる

相手がパスしたらボールを胸の前から出す

オーバーハンドパスを出したら、すぐにボールを受け取る準備

相手からくるパスを視野に入れキャッチ

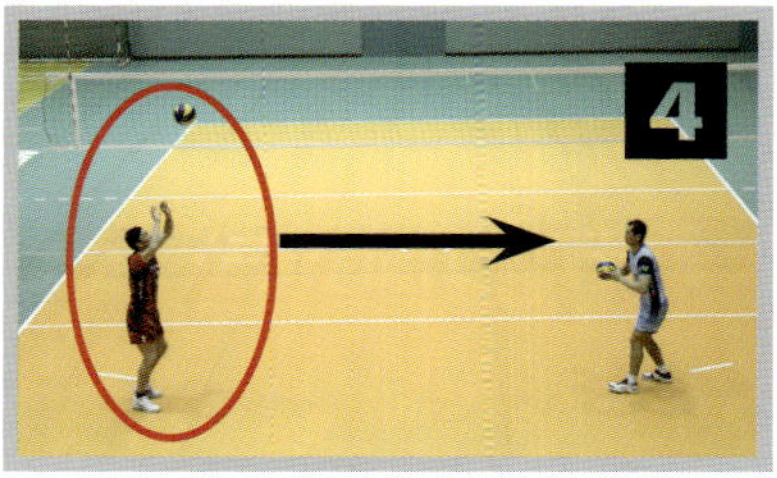

すぐに相手に投げて渡し、オーバーハンドでパスを行う

コツ 03 転がしたボールを視野に入れる

相手だパスしたらボールを転がす

パス後、転がるボールを受け取る準備

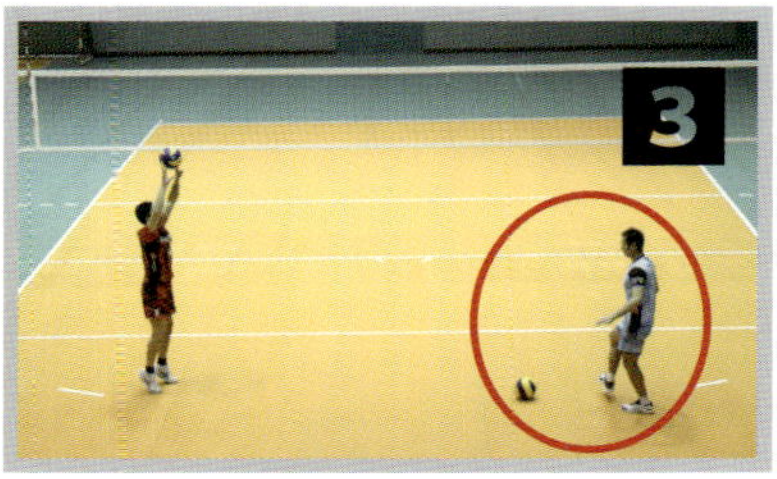

パスを出す相手を見て、転がすタイミングを図る

転がしたら、オーバーハンドパスを行う準備をする

ポイント
38

ボール2球2人組パス
ボール2球を使ってコントロールを身につける

コツ01 横への移動を入れる

場所をずらして２人一斉に自分の正面へパス

相手がパスを出した方向へ移動

落下地点に入り、自分の正面へパスを出す

相手がパスを出した位置に入り、繰り返す

オーバーハンドパス、アンダーハンドパスの正確性を磨くには、どんなボールでも常に同じフォームでボールをとらえることがポイント。それを実践するには、ボールの落下地点をすばやく判断してボールの下に入り、リズムよくボールを返すことだ。

ボールを2球使って、横移動や前後移動を入れて、休むことなくパスを行う。通常のボール1球の対人パスよりも、すばやくボールに反応してパスを送り出す。自分がパスを出した後は、すぐにボールをとらえる準備を行う。

初心者には難易度が高いため、最初はその場でボール2球（どちらか1人がオーバーハンド、もう1人がアンダーハンド）パスを行い、慣れてきたら横移動、前後移動に挑戦してみよう。

コツ02 前後の動きを入れる

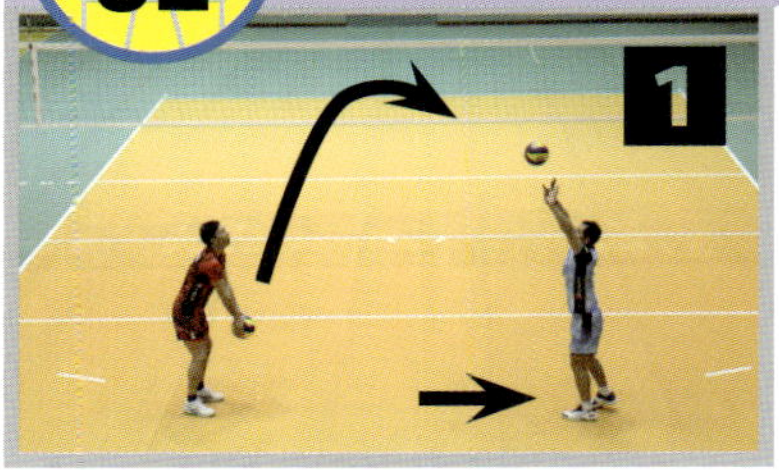

ボールを出す人は前方へボールを投げ、もう1人はオーバーハンドパス

右の人は前方でパス、左の人はそのままの位置から後方へパスする

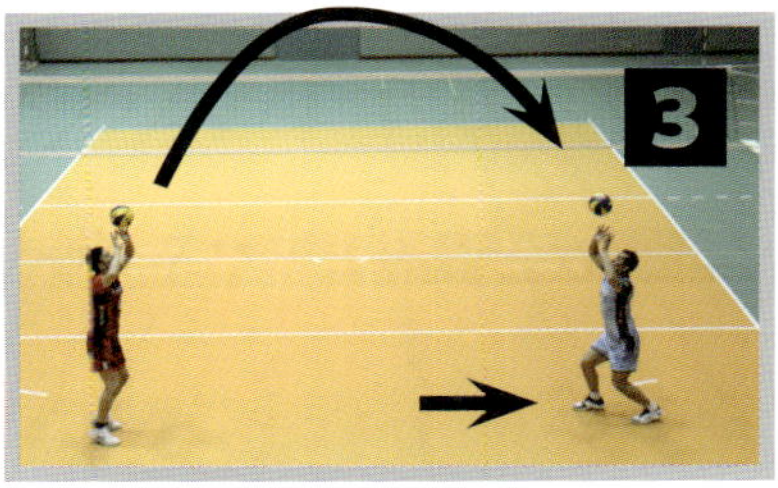

右の人は後方へ移動してボールの下へ入る

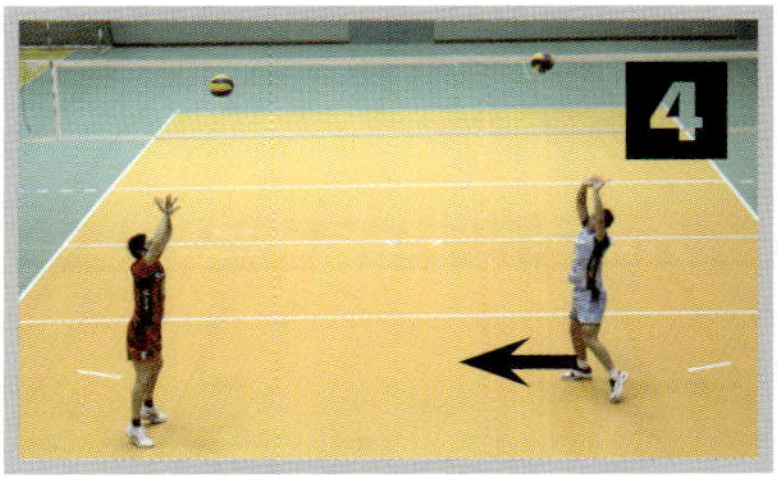

左の人は前方へパス、右の人はパスしたらすぐに前方へ移動する

コツ03 移動しながらオーバー、アンダーハンドパス

コツ0´のように場所をずらして立つ。右の人がオーバーハンドパスをしたら左の人は低いボールを投げる

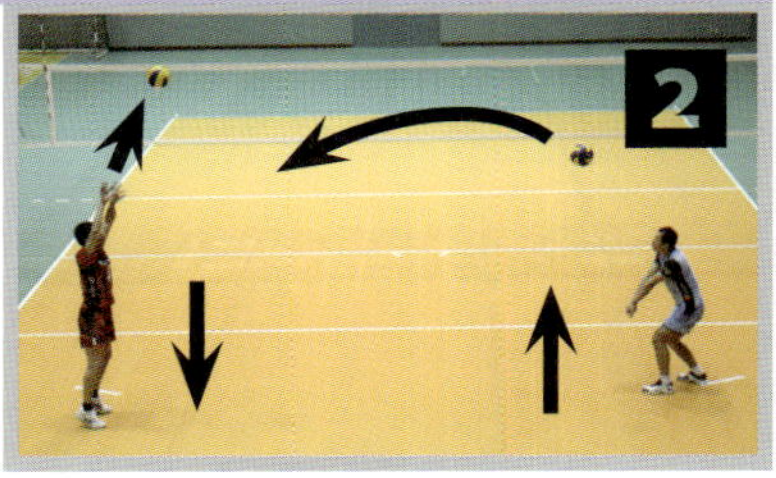

右の人は右へ移動しアンダーハンド、左の人は右へ移動してオーバーハンドパスを行う

右の人は左に移動しオーバーハンド、左の人は左へ移動してアンダーハンドパスを行う

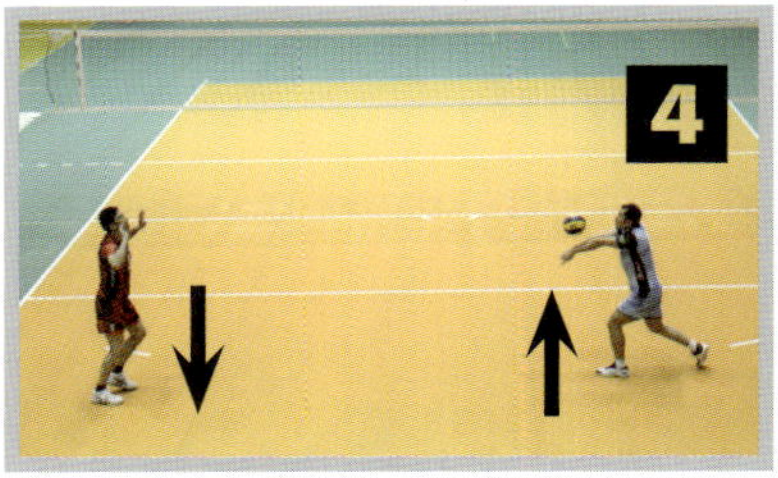

左右移動繰り返し、オーバーハンド、アンダーハンドでパスをつなぐ

ポイント
39

3人組対人パス
ディグとトスのコントロールを意識する

コツ01 プレーした後、次の準備をする

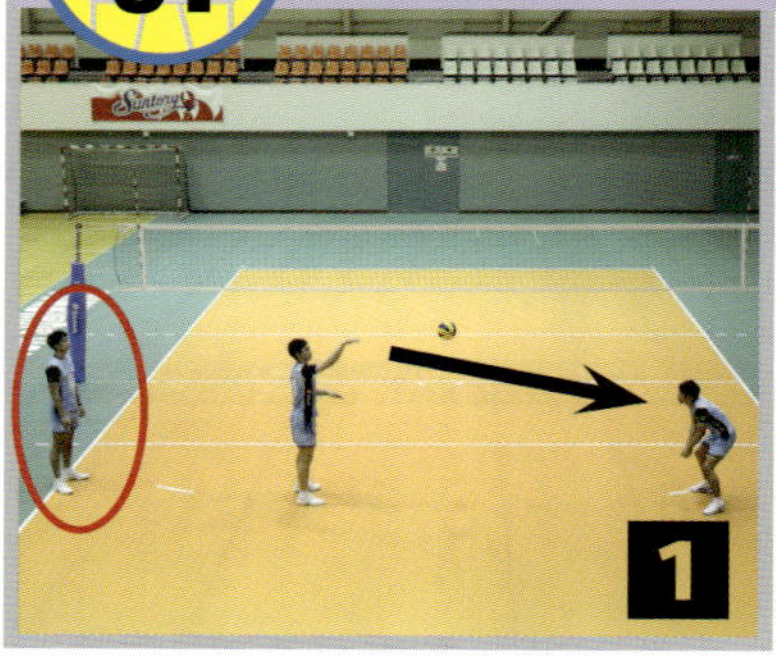

2人組が向き合い、アタック。1人は後ろで待機しておく

レシーバーはディグを正面に上げ、次にアタッカーは正面にトスする

レシーバーだった選手はそのトスを正面にアタック

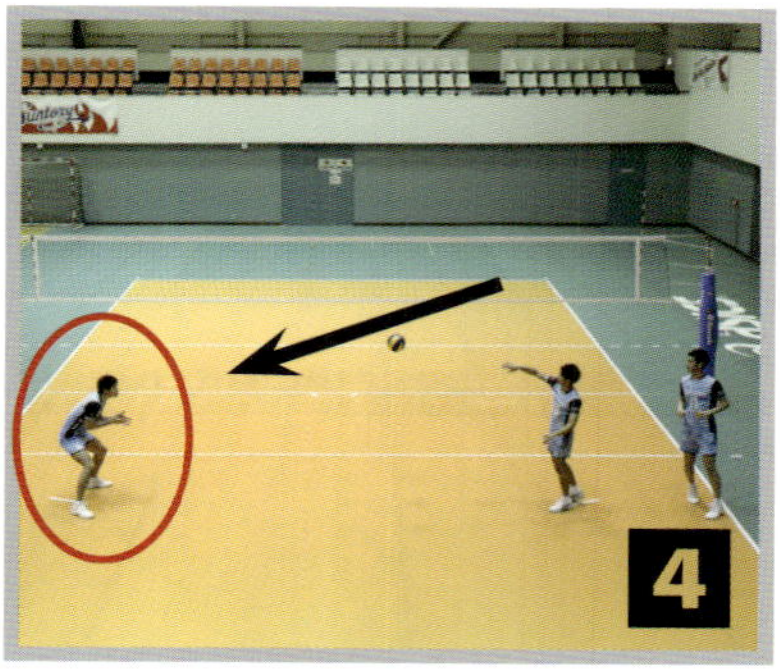

待機していた選手がディグに入り、返ってきたトスをアタック。これを繰り返す

人数を増やして3人でディグ、トス、アタックを行い、ボールをつなぐ練習。すべてのポジションにおいて、精度の高いプレーが求められる。ディグの前後に動きが入る時は、いかにすばやくディグの準備に入るかがコツだ。

移動する時はボールの行方を周辺視野に入れながら、ボールのコースを判断し、正面に入る。この時、身体の動きをしっかり止めて、ボールを『待つ』という意識を忘れないこと。どんな場面でも、『待つ』体勢を作れるようにする。

ディグだけではなく、トス、アタック時も正確なボールコントロールを心がける。1つのプレーが崩れると、その後のプレーに影響する。仮に崩れたとしても、しっかり準備を行って軌道修正を図れる力を身につけよう。

コツ 02 パスを正確につないでアタック

1対2で並ぶ

1人はアタックし、2人のうちどちらかがディグを行う

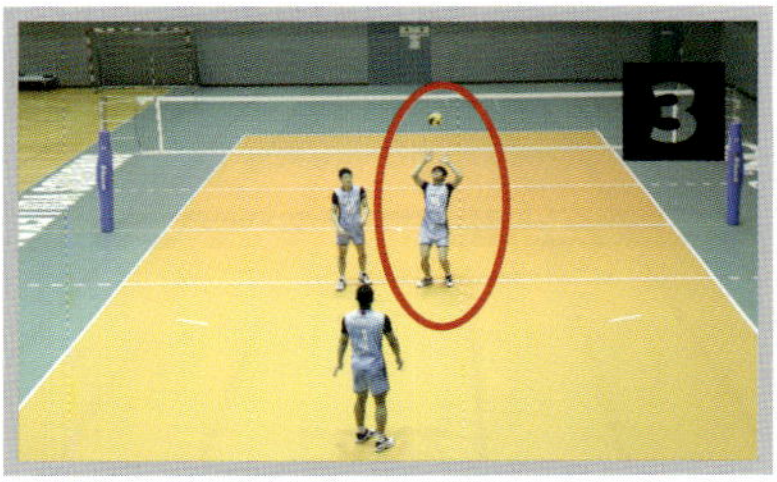

上がったボールをディグをしない選手が正面にトスを上げる

アタッカーは上がってきたトスを打つ

コツ 03 ディグを正確にコントロール

2対1で向き合う。間隔を広めにとり、1人にアタックを打ち、ディグを行う

レシーバーは反対側に移動。上がったボールをアタッカーは反対側にトスを上げる

ふたたびアタックをレシーバーに打つ。レシーバーはすばやく準備

上がったボールをアタッカーは反対側にトス、レシーバーは周囲を視野に入れながら移動

ポイント 40

二段トスを取り入れたディグ練習

次にプレーする人の状態を確認してプレーする

コツ01 バックアタック＆ディグでつなぐ

4人が2対2でネットを挟み、ネット付近とコート後方で構える

トス、バックアタック、ブロックとディグの準備

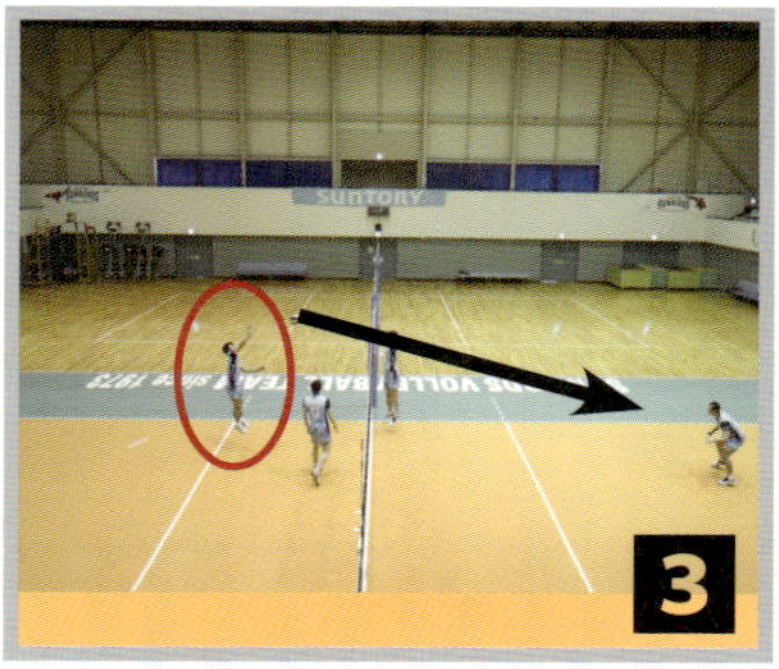

バックアタックを打ち、守備側はコースを想定

コースに入りボールに合わせてディグする

2人組や3人組パスなどで基本が身についたら、ゲームを想定した複合練習をどんどん取り入れていこう。ここからは、ディグ、トス、アタック、一連の流れを取り入れた練習。すべての選手がプレーした後、次のプレーの動作に入る。注意すべき点は、ボールにふれた際、次にプレーする人がどういう状態で準備しているのか、確認すること。次の人の準備が遅れている時は、タイミングを図りながらプレーする。

P94からは、オーバーハンドによる二段トス中心の練習だ。リベロ以外の選手のディグやサーブレシーブは、必ずしもセッターに返るとは限らない。むしろリベロは、ディグやサーブレシーブが乱れてもカバーできる技量が必要だ。広い視野を身につけ、しっかりボールの下に入り、アタッカーへボールをつなげられるイメージを持って練習に取り組もう。

コツ 02 次のプレーの準備をすばやく行う

サイド前衛からアタックを打ち、逆サイドでディグを行う。そのディグボールに対し、アタッカーは中央に移動してレフトへトスする

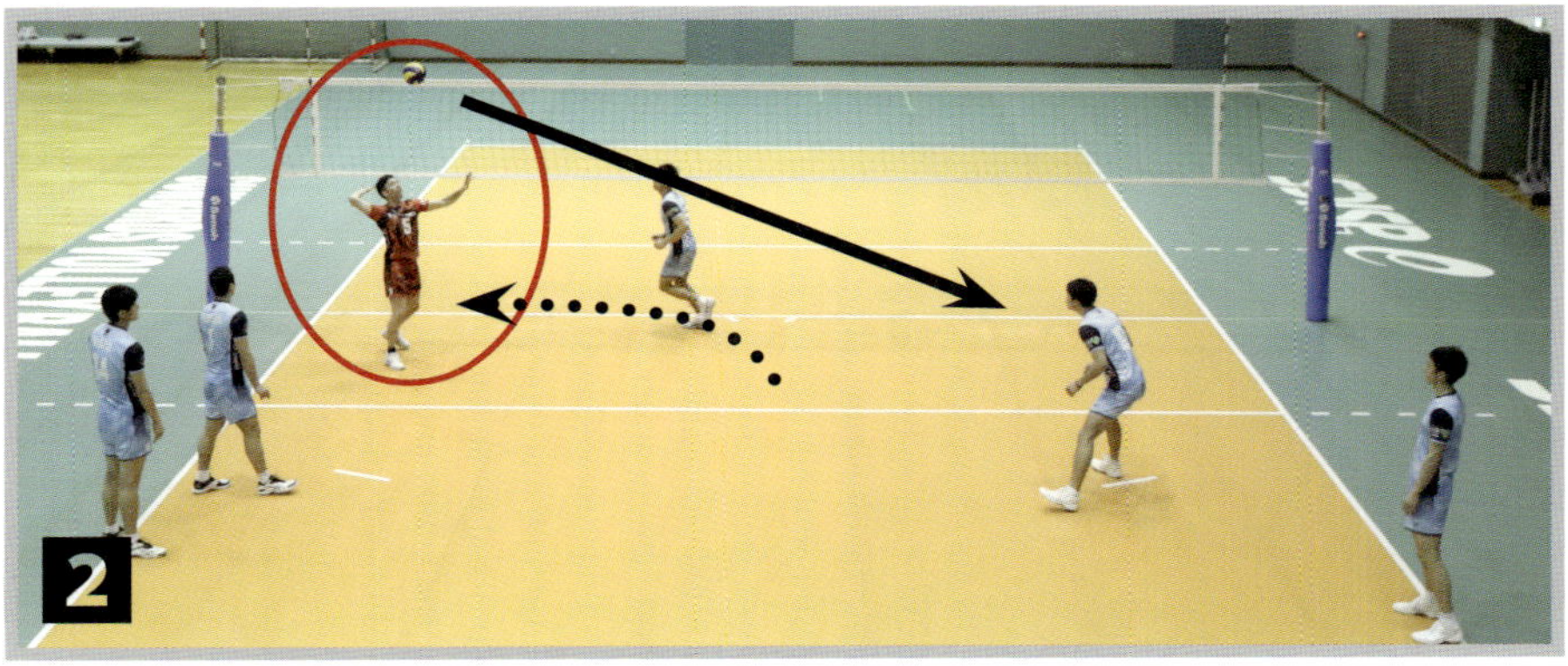

トスをした選手はコート外へ。ディグした選手はサイド前衛に移動し、逆サイドへアタックを打つ

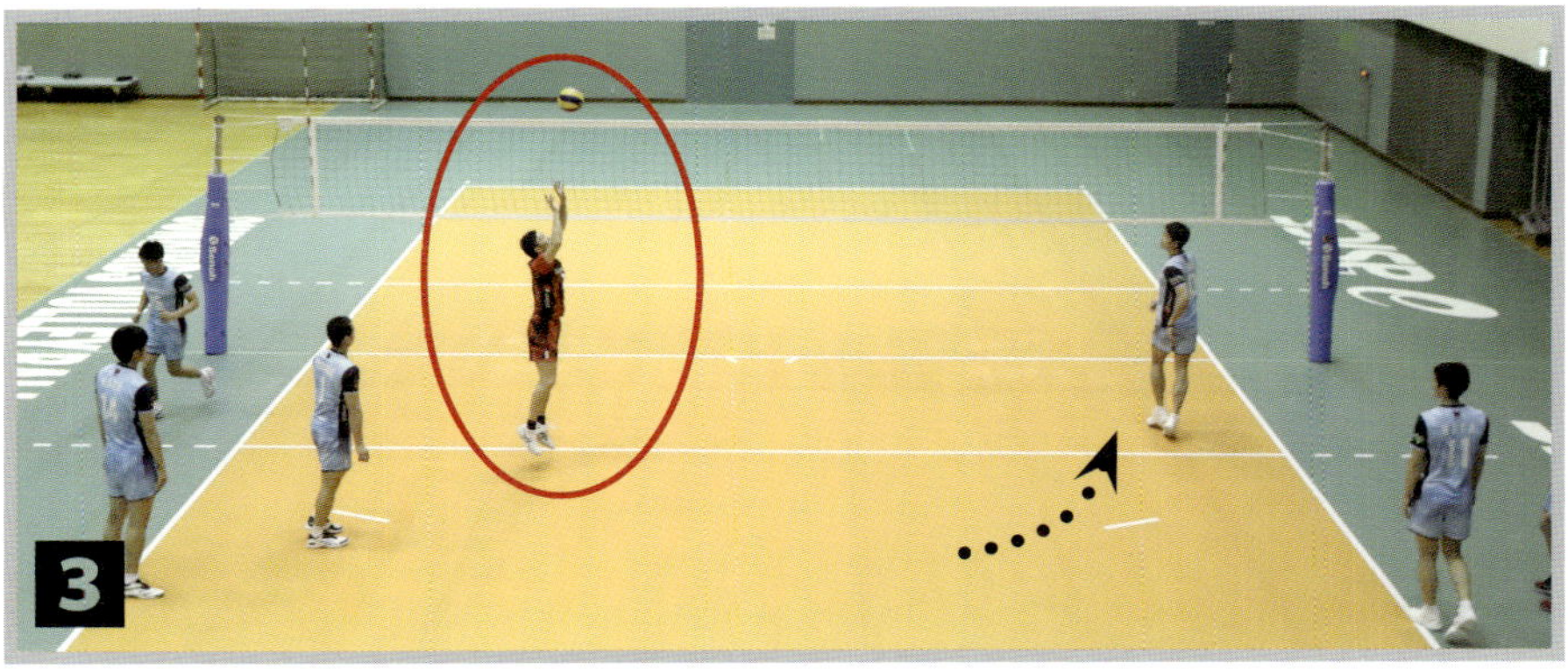

上がったボールに対して二段トスを逆サイドに上げる。ディグした選手は前衛に移動する

コツ 03 周辺視野を意識して移動するパス練習

4人の選手はABCDの位置からオーバーハンドパスで、DCBAの方向へパスし、パスした後はその方向に移動する。

Aの位置でオーバーハンドパスをしたらDの位置へ行き、コートの外に出て並ぶ。新しい選手はDの位置からコートに入っていく。

Dから5人目以降の選手が入ることで、背後の選手が上げたパスをオーバーハンドパスでとらえて、次の場所へパスを送り出すことができる。

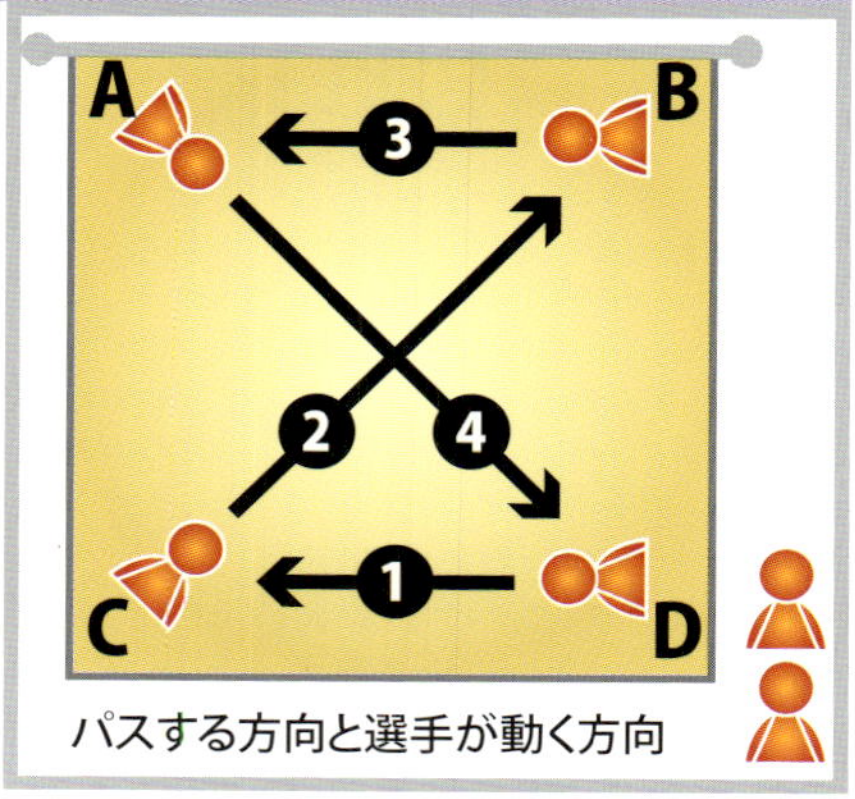

パスする方向と選手が動く方向

コート四隅からそれぞれの方向へオーバーハンドパスを上げる

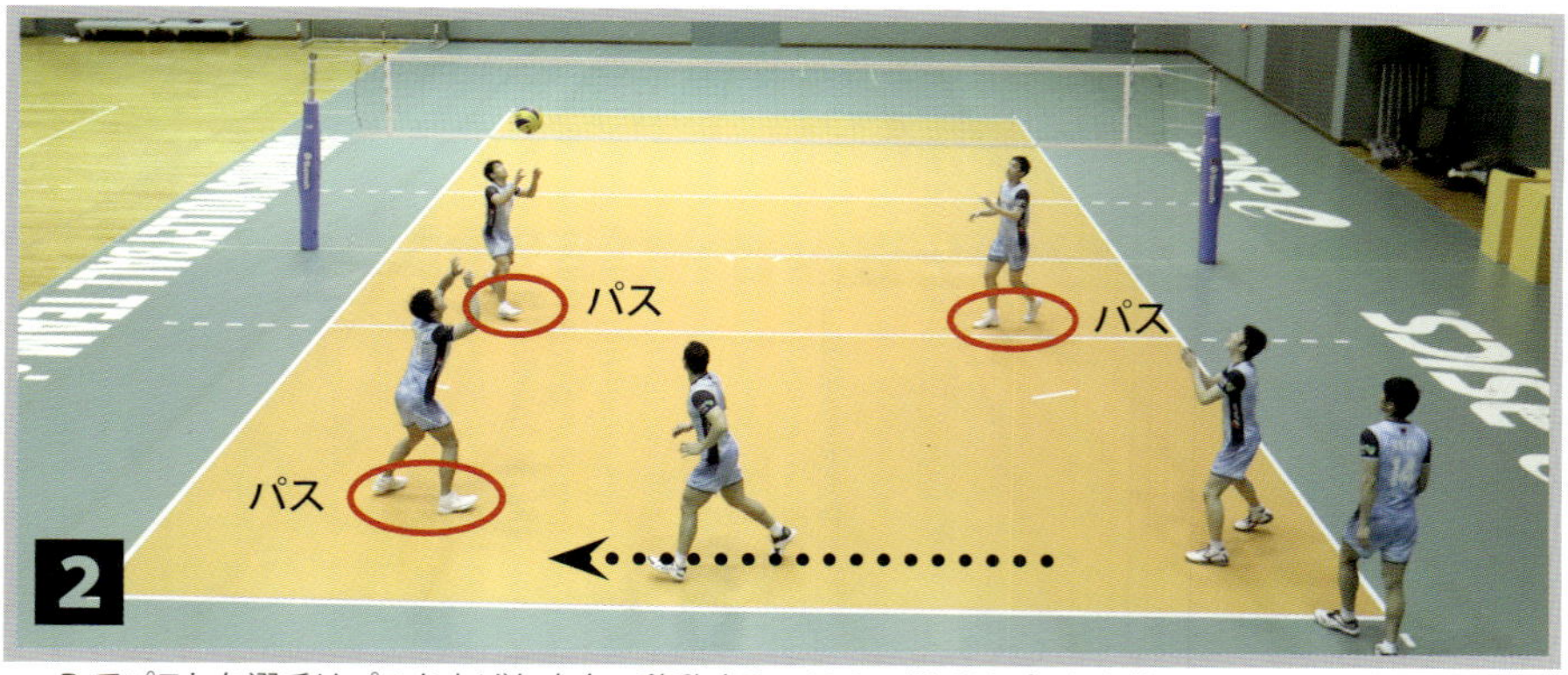

Dでパスした選手はパスを上げた方向へ移動する。ABCの選手はパスした後、飛んできたボールに対し、もう1回パスを行う

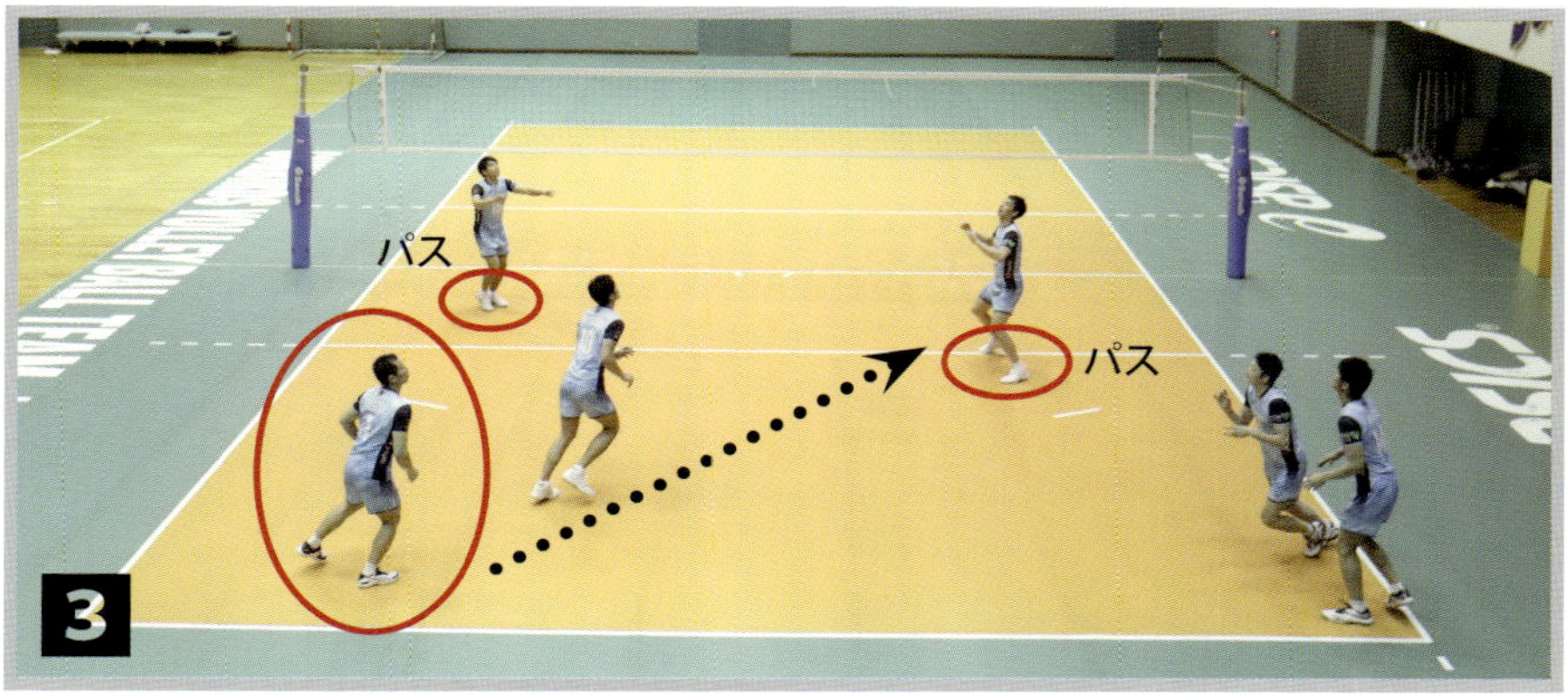

Dから移った選手は前の人が移動したらCのポジションに入り、パスの準備。
ABの選手はもう1回パスを行い、Cの選手はBへ移動

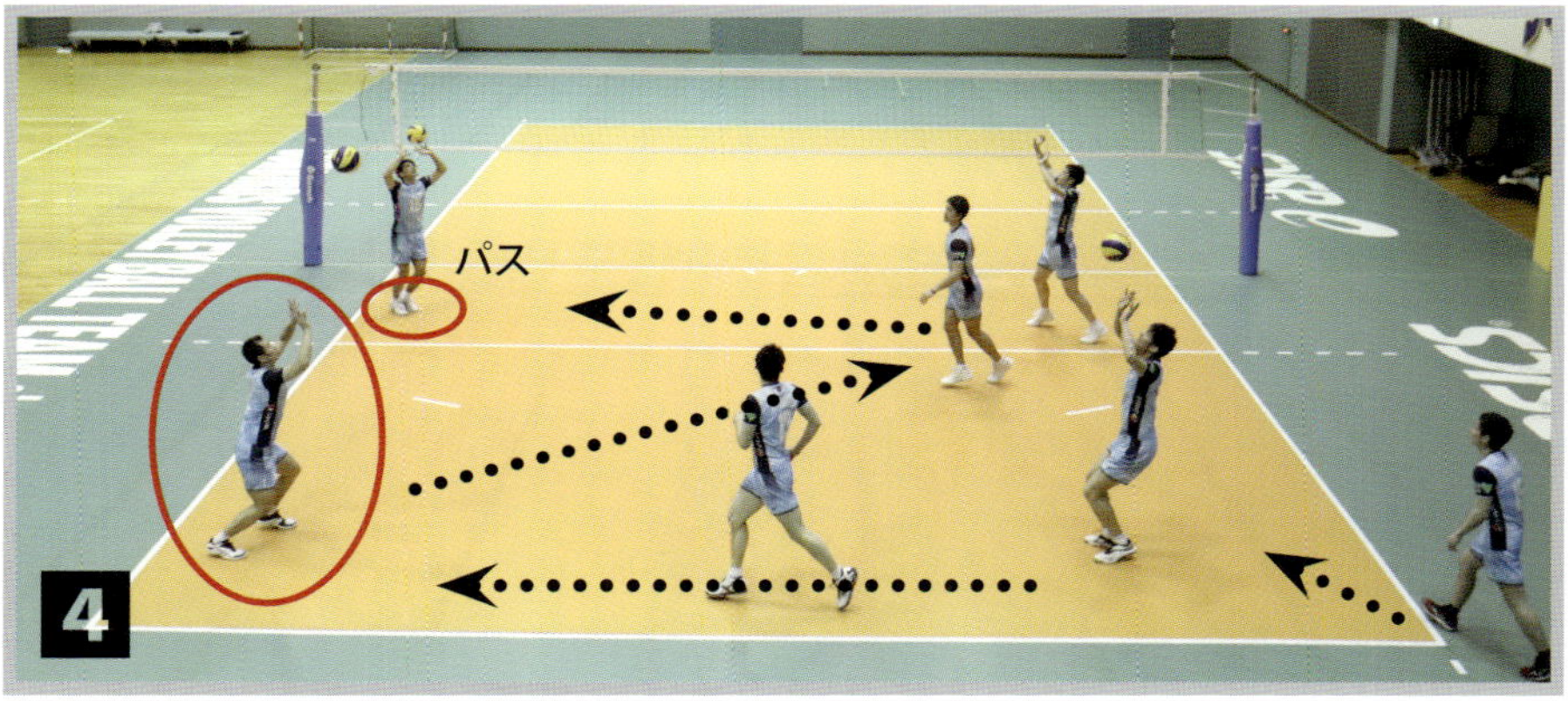

Dからきたボールの落下地点を判断しオーバーハンドパスを行う。
Aの選手はもう1回パスを行い、BCDの選手はそれぞれ移動。Dには新たに選手が入る

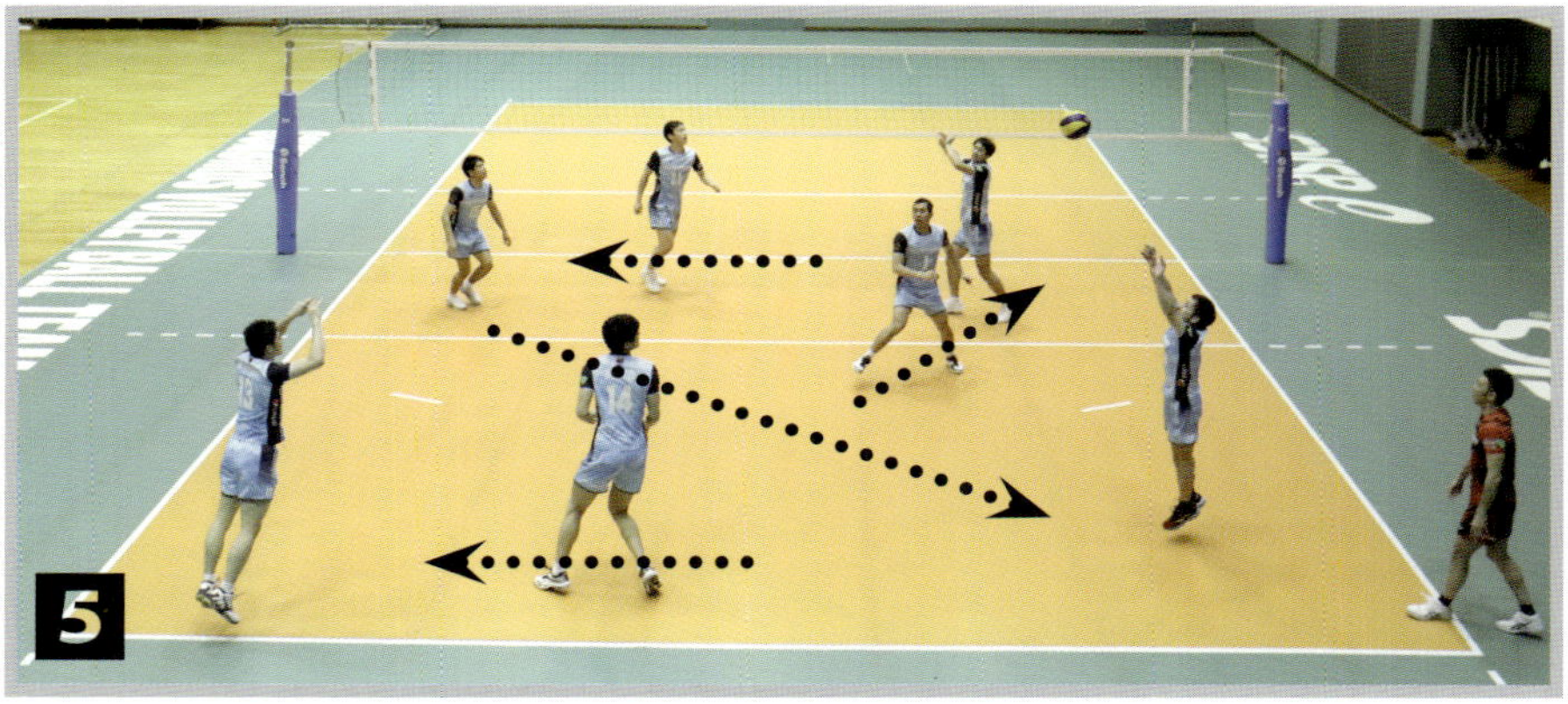

Aの位置で続けてパスをした選手は、自分の位置にBから選手が移動してきたら、Dへ移動してコート外へ。
BCDにいた選手は背後からくるボールを視野に入れて準備する。一連の流れを繰り返す

Column

ディグ練習

拾えそうなところを見つけていく

ポジション関係なく、前衛後衛をこなし、ラリーを続ける。
ここにいけば、「ボールにさわれる」という意識で練習に取り組む

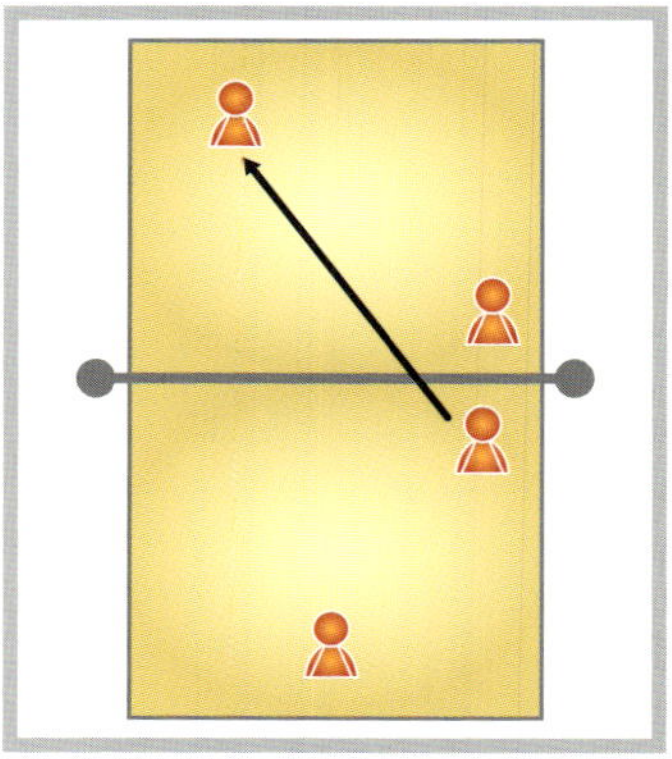

2対2のディフェンス例

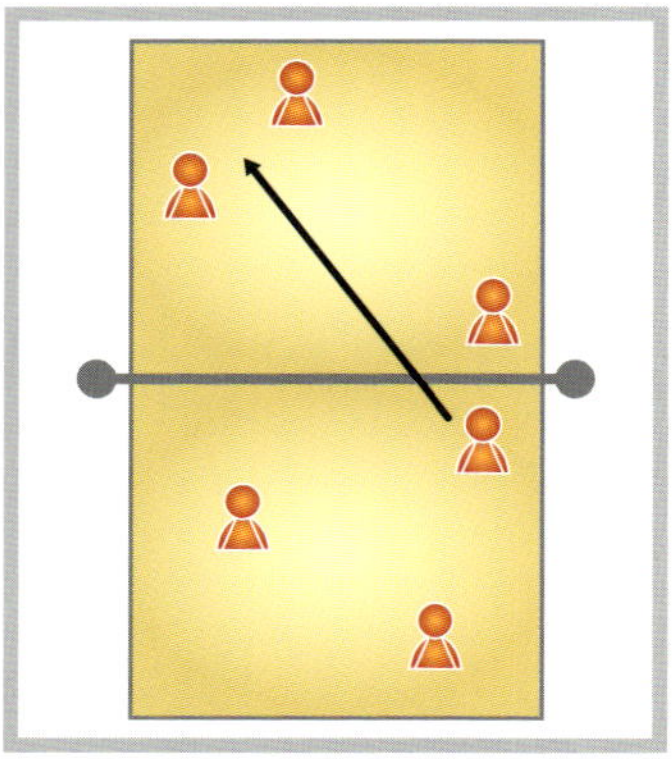

3対3のディフェンス例

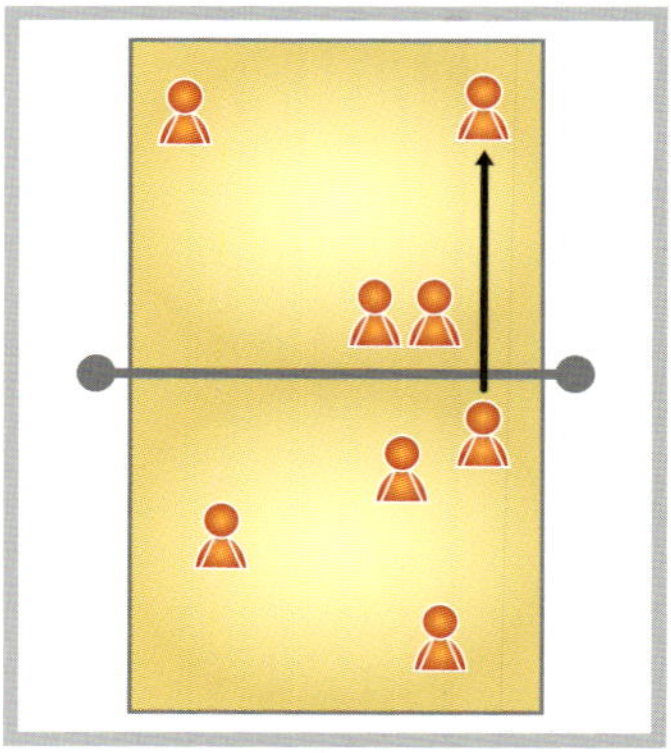

4対4のディフェンス例

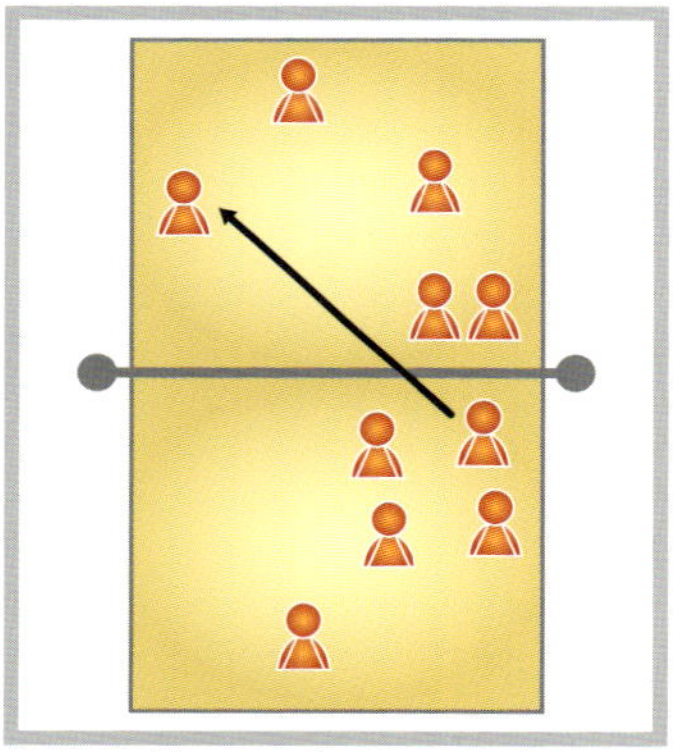

5対5のディフェンス例

リベロは、チームの中で守備が長けている選手が担うポジション。どんなボールも拾わなければいけない、というプレッシャーがあるかもしれない。

しかし、リベロ個人の能力で、すべてのボールを拾うには不可能。相手の攻撃はサーブ、ブロックの力を借りてこそ、的が絞られる。**だから、すべてのボールを拾おうとは思わない。どちらかというと構えている時に、「ボールにさわれるようなところを見つける」というイメージを持つ。ブロックがいないところ、空いているスペースなど、「ここにいけば、自分はボールにさわれるな」という意識で、リラックスして構える。**

空いているスペースを見つける練習として、2対2、3対3、4対4など人数を少なく設定したゲーム練習に取り組んでいく。最初は広いスペースで、ボールにさわれるスペースを見つけ、少しずつ責任範囲を狭くしていき、スペースを見つけられるようにする。

Part.8

サーブレシーブ力がアップする練習法

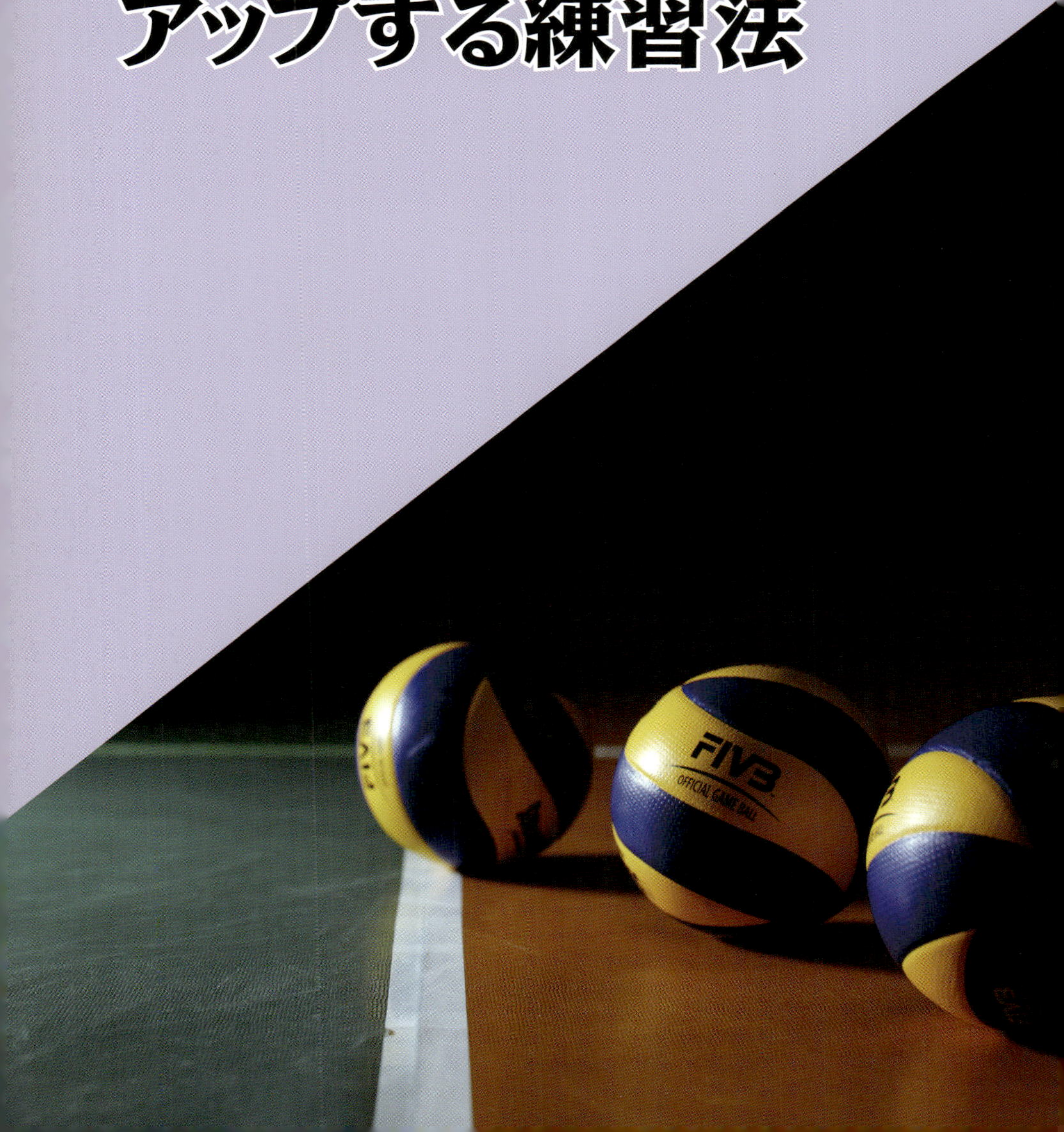

あらゆるサーブに対応できる基礎を身につける

多種多様のサーブを効率よく練習する

サーブレシーブのレベルアップのコツは、1本でも多くのサーブを受けることだ。数多く練習に打ち込むためには、普段の練習の効率が大切になってくる。いかにたくさんの種類のサーブを限られた練習時間以内に多く受けるよう、工夫しながら練習メニューを組み立てる。

打点の高いジャンプスパイクサーブ、ジャンプフローターサーブを打つには、台を使う。それだけではなく、通常のフローターサーブも設定し、ストレート、クロス両方のサーブに対してサーブレシーブを行う。

サーブによって、打点やコースが変わるとボールの変化が違うため、どんなサーブでも変化を見極めて対応できるように意識する。

コツ01 ストレートコースの対応

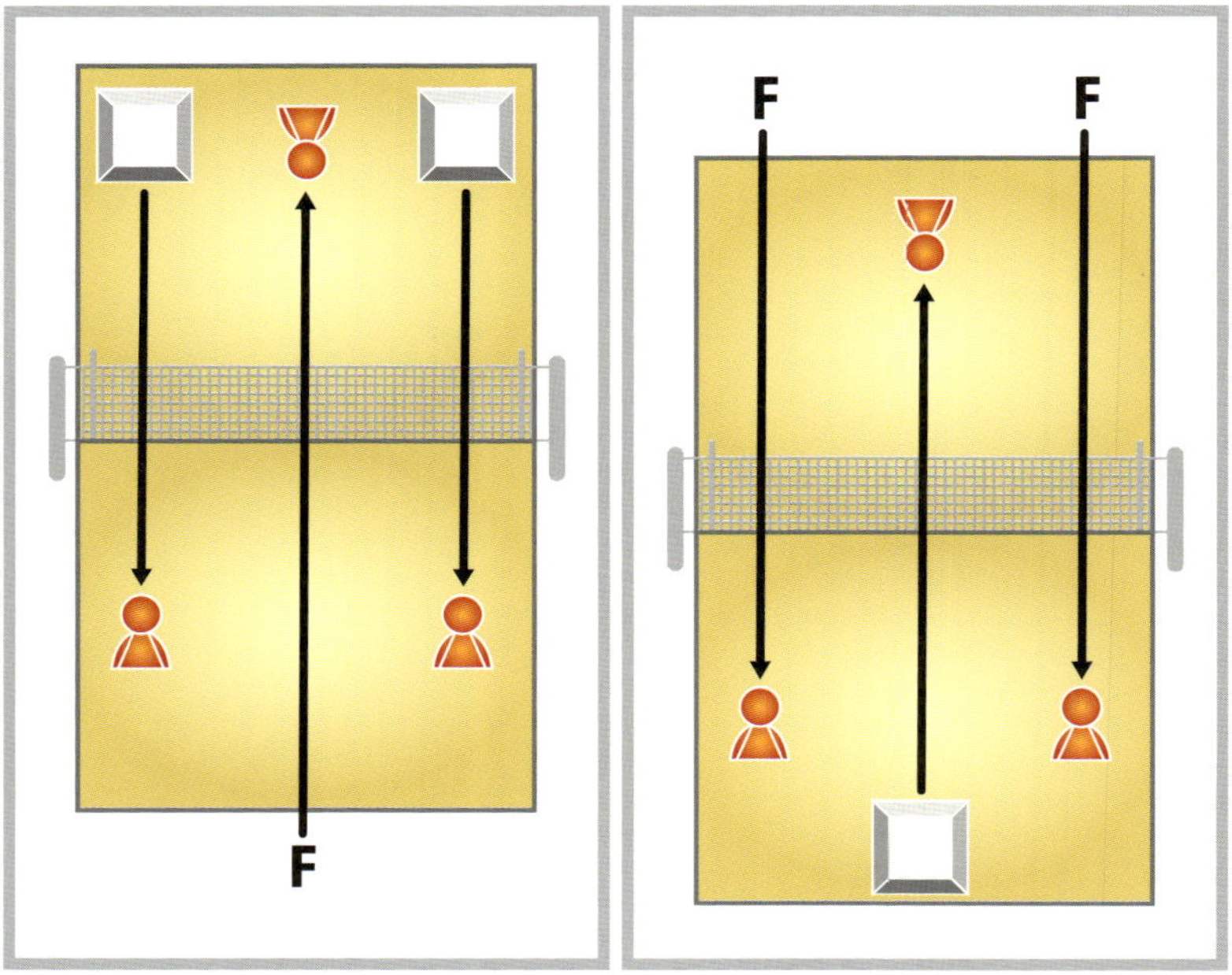

台上サーブを左右２ヵ所から打ち、逆サイドからはフローターサーブを中央から打つ

フローターサーブを左右２ヵ所から打ち、台上サーブは中央から打つ

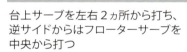

コツ 02 ストレート、クロスコースの対応

台上のサーブを２ヵ所からストレート、
クロス両方に打つ。
コースだけではなく、
サーバーは前後にも揺さぶる。
台上１ヵ所、フローター１ヵ所と変化を
つけてもよい。

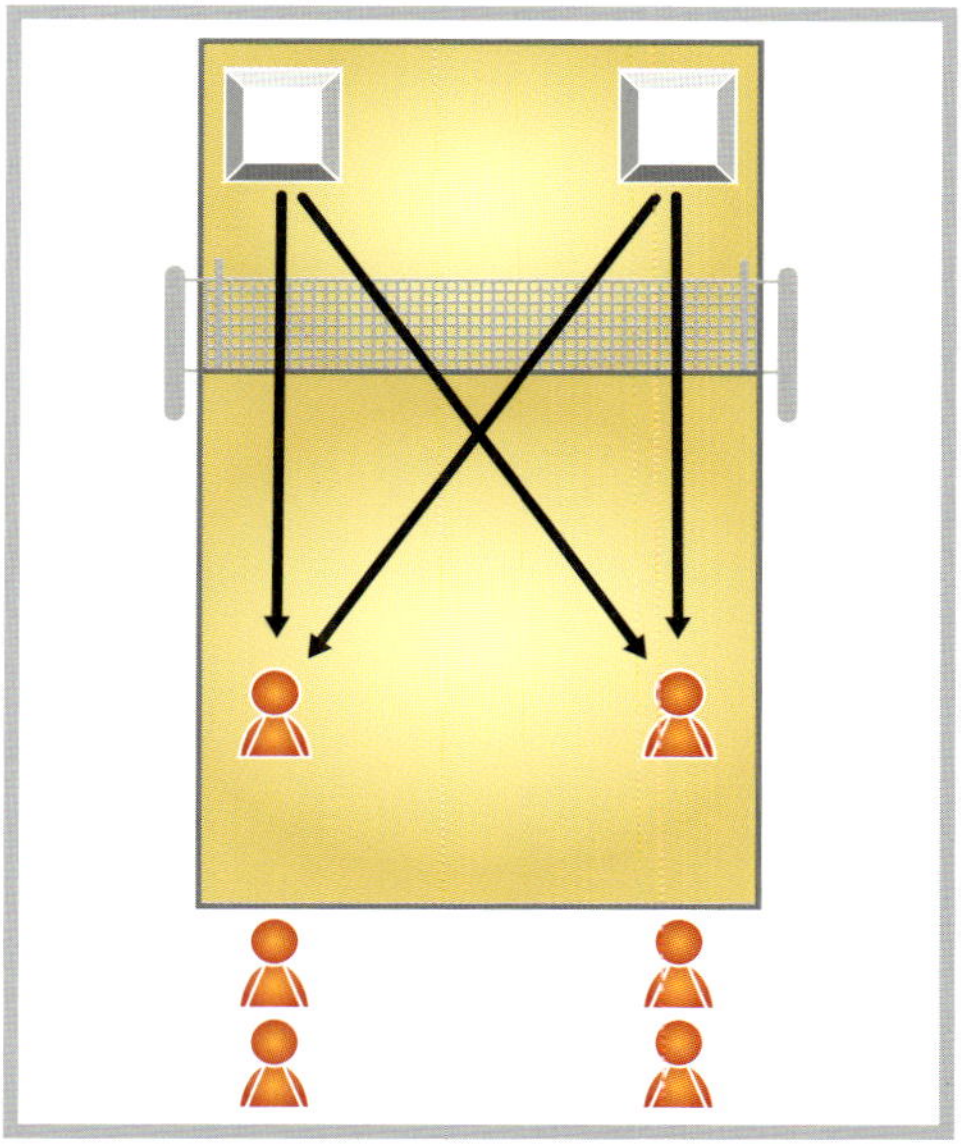

コツ 03 ３ヵ所からのコースの対応

台上は２ヵ所、中央ではフローター１ヵ
所を設けてサーブを打つ。
サーブレシーブ側は１人が数種類の
サーブを受けたらコートの外に出る。
次の人は反対側サイドに入って、
サーブを受ける。

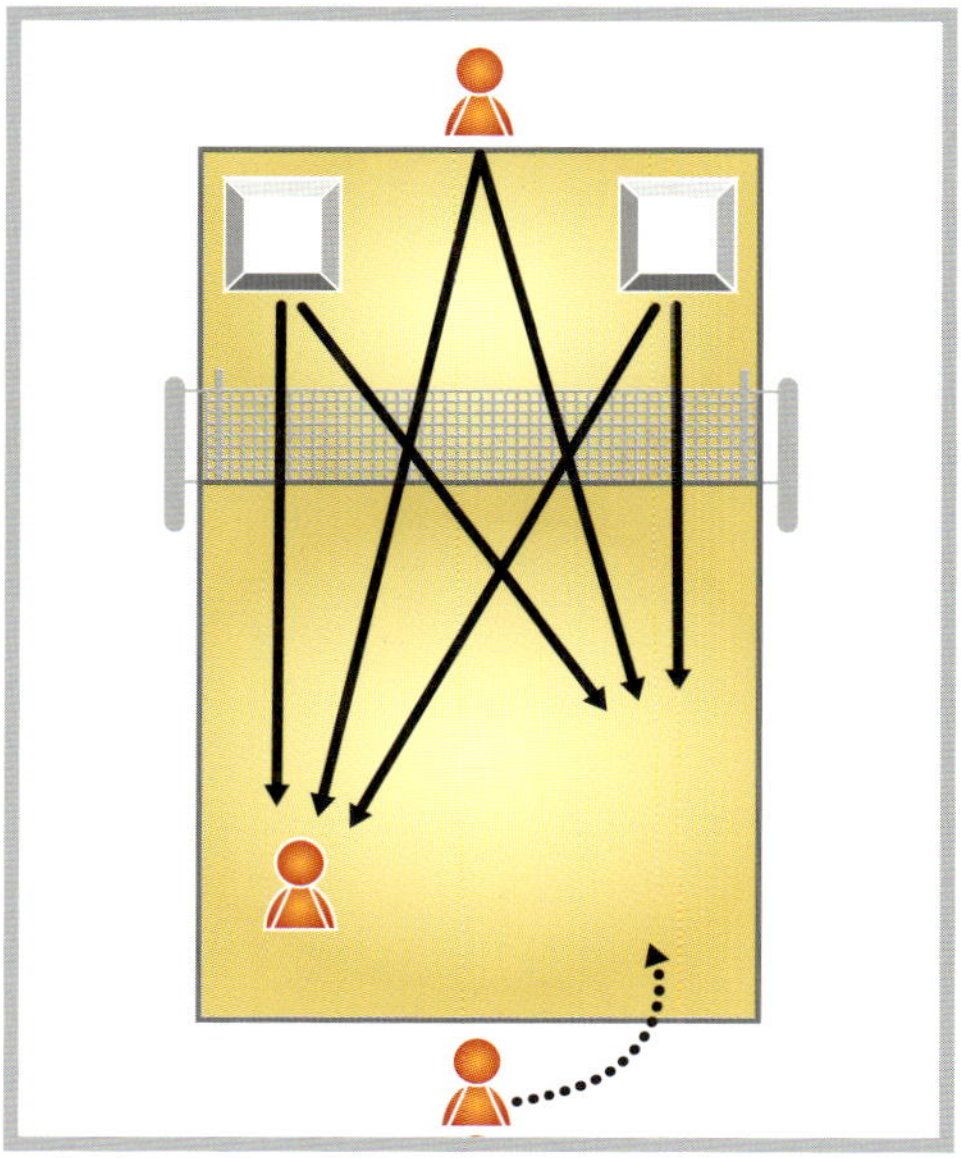

ポイント 42

試合を想定したサーブレシーブ練習

ローテーションをイメージしてポジションに入る

コツ 01 中央から左右へ移動してサーブレシーブ

中央に１列で並び、左右どちらかのポジションでサーブレシーブ

前の選手のプレーが終わったらすぐに反対側サイドへ入る

サーブの落下地点を見極めて正面に入る

反対側のサーバーはすぐにサーブを打ち始める

サーブレシーブの練習で効率とともに重要なのが、いかに実戦をイメージするかだ。ここからの練習は、サーブレシーブする選手がプレーした後、すぐにサーバーはサーブを打ち始める。その間、レシーバーはポジションに移動し、ボールの軌道を見極めて、サーブレシーブに入る。上級者は、サーバーがどちらに打つかわからないという状況で、サーブレシーブに入るなど負荷を高めていこう。

その次の練習は、３ヵ所から台上サーブを設定。１ヵ所のポジションに３本連続で打ち、次のローテーションへ移動していく。それぞれのローテーションポジションにおいて、どんな角度からどんな球質でジャンプスパイクサーブがくるか感覚を身体で覚えておく。

コツ 02 スパイクサーブのコースを見極める

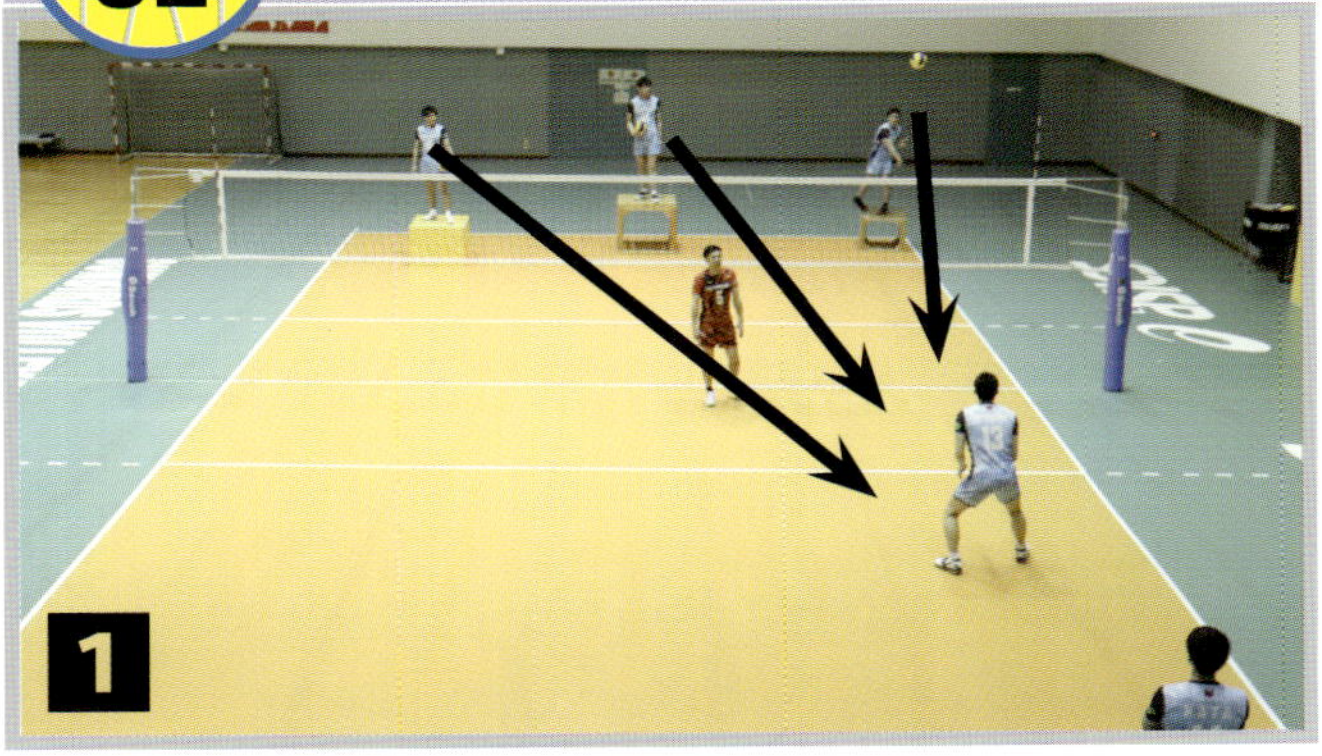

右サイドからスタートする

ストレート、クロス、インナーと１本ずつ、サーブを続けて打ってもらい、サーブレシーブを行う。

次に中央へ移動。同じ３ヵ所から１本ずつ受ける

サーバーは前後左右に揺さぶり、サーブに緩急をつける

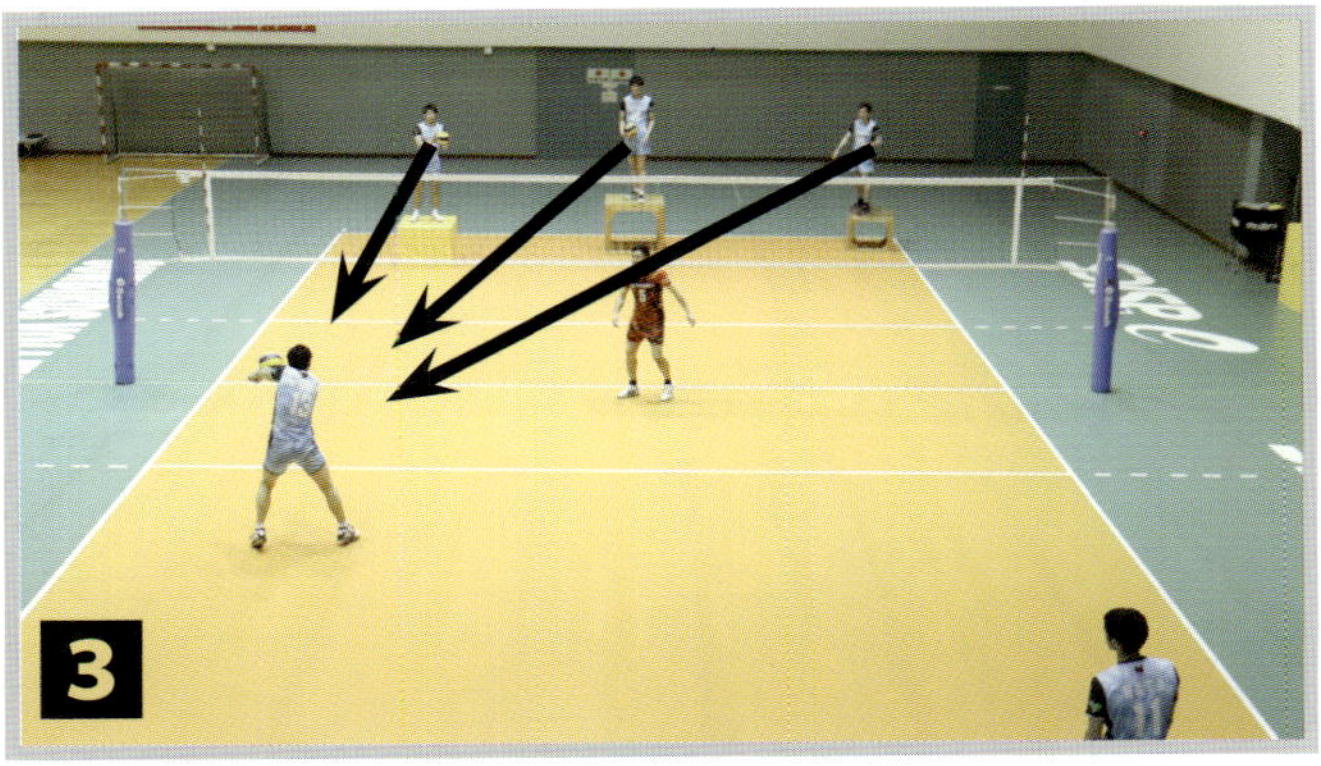

最後は左サイド。集中力を高めて合計９本のサーブを受ける

それぞれのサーブの高さと角度を意識しながらサーブレシーブする

ポイント
43

サーブレシーブが崩れた時をイメージする

サーブレシーブ後の二段トス

１人の選手がサーブレシーブを行い、１人がトスアップの準備

サーブレシーブが上がったタイミングを見て、両サイド前衛がボールを投げる

サーブレシーブだけではなく、その後のトスをイメージして練習する。サーバー1人、サーブレシーブ側に3人、セッター1人、両サイド前衛にボールを投げる2人が入る。サーバーが打ったサーブに対し、1人がサーブレシーブに入る。サーブレシーブしない選手は、前衛の2人が投げたボールに反応し、二段トスを上げる。

二段トスを上げる選手は、サーブレシーブがセッターに返らなかった時のことをしっかりイメージすること。ボールを投げる人も崩れた1本目のボールを想定し、できる限りネットから距離を離し、少しずつハードルを上げていく。

サーバーは中央だけではなく、3カ所どこでも好きなところにサーブを打っていく。それに習って、二段トスもどの場所からでも正確に上げられるように意識する。

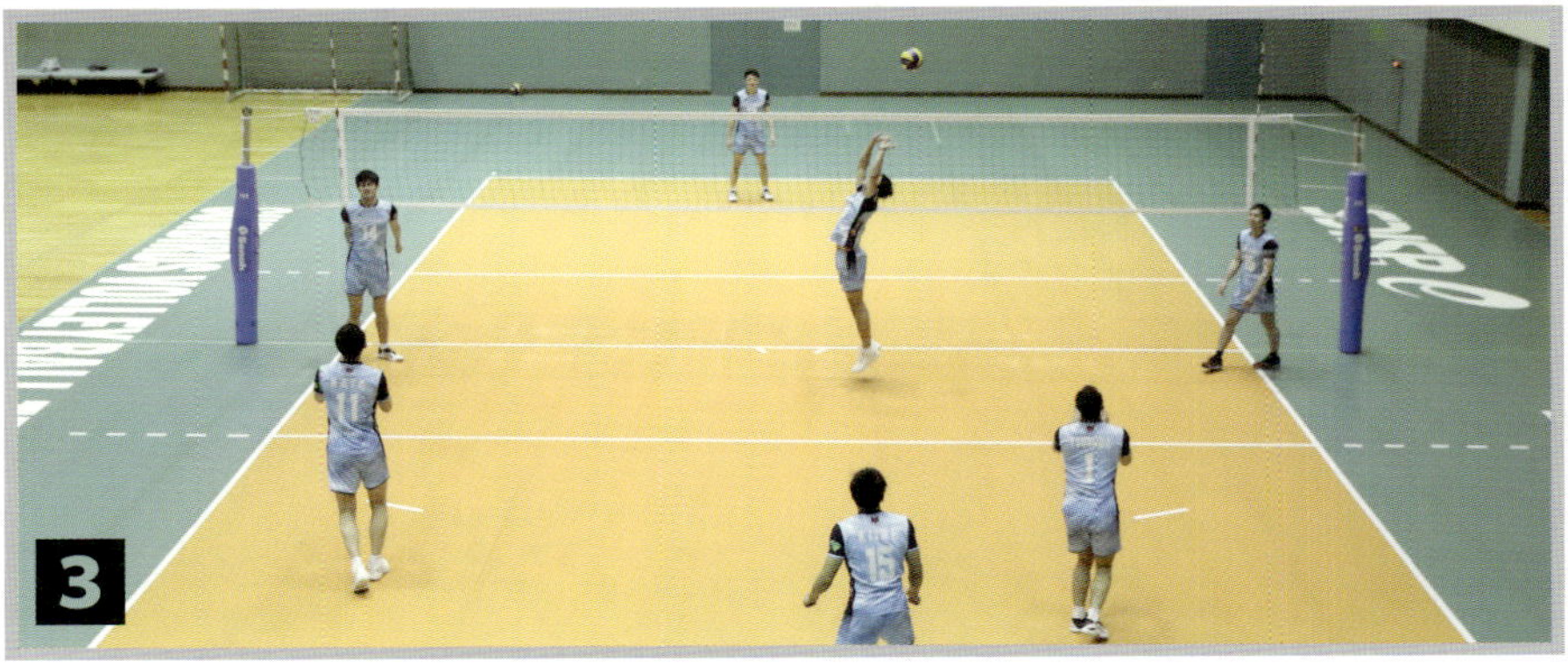

セッターはサーブレシーブが返ってきたらサイドにトスを上げる

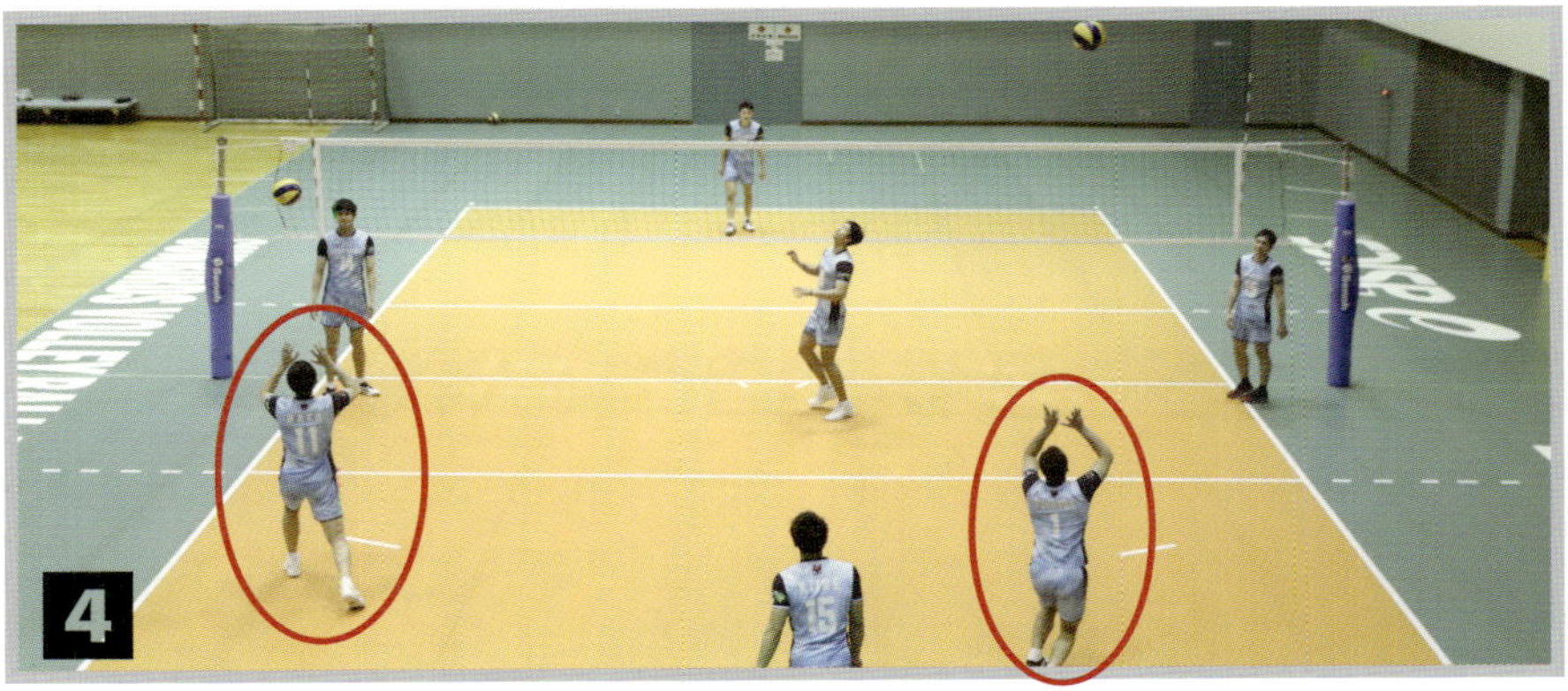

両サイド後衛はボールの下に入り、二段トスを上げる

身体全体を使って、前衛にボールを運ぶ

ポイント 44

プレー後は次のプレーの準備をすばやく行う

サーブレシーブ、ディグ、トス、すべての複合練習

コツ01 ディグ、サーブレシーブを同時に練習する

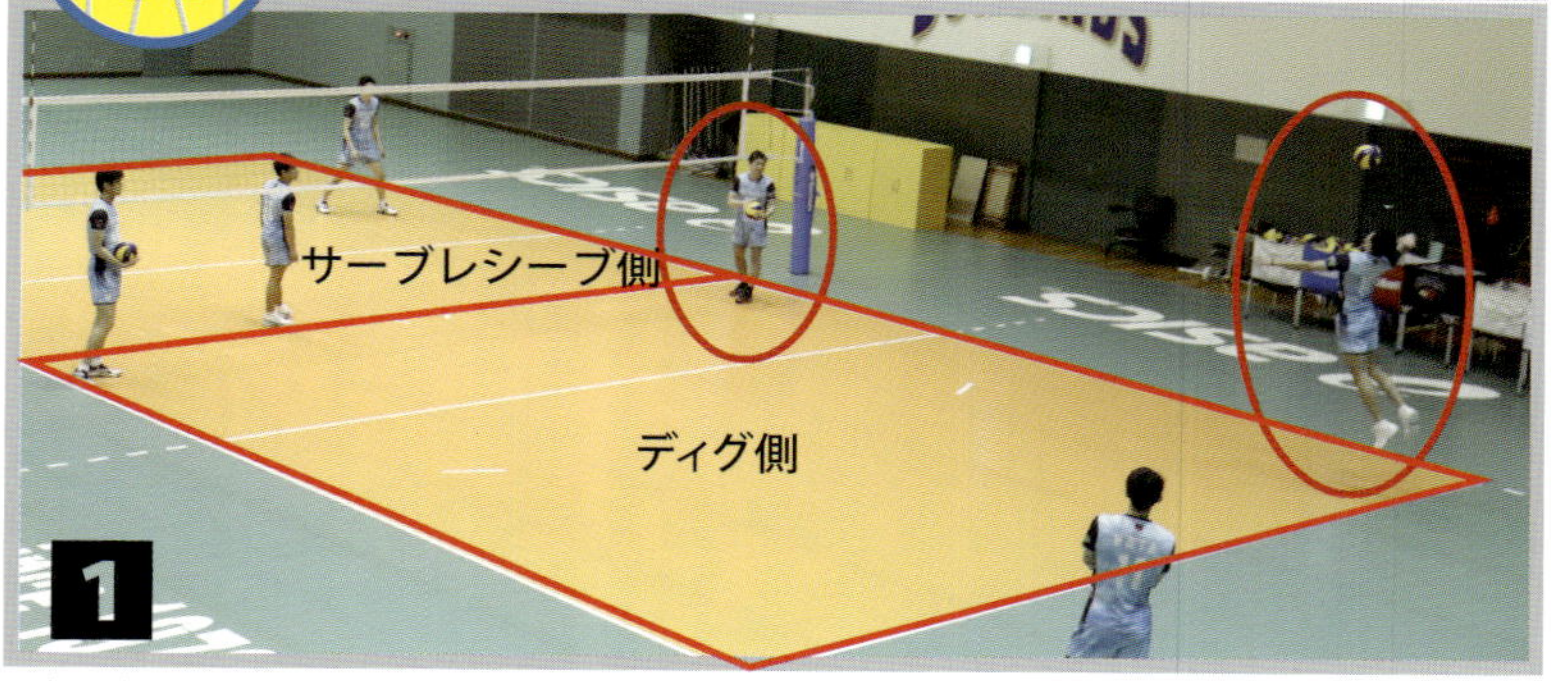

ディグ側はサーブとアタックを打つ体勢に入る。
サーブレシーブ側ではサーブレシーブの準備

打たれたサーブをサーブレシーブし、ディグ側のサーバーは、ディグに入る

ディグ側のコートではサーブとディグ、サーブレシーブ側のコートではサーブレシーブを同時に行う練習。サーブを打った選手は、すぐにコートに入り、ディグを行う。ディグしたボールを直上トスし、前衛のアタッカーに返す。サーブレシーブを行った選手はその後すぐに反対サイドに移動し、サーブレシーブを行う。

この練習のポイントは、サーブを打った後のディグ、ディグの後のトスと間髪入れずにプレーを行っていく中で、周囲の状況を視野に入れること。バレーボールはボールをつなぐプレーであり、自分だけではなく相手がいて成り立つ競技だ。相手の状況を確認しながら、タイミングを合わせて、ボールの動き、流れが止まらないように心がける。

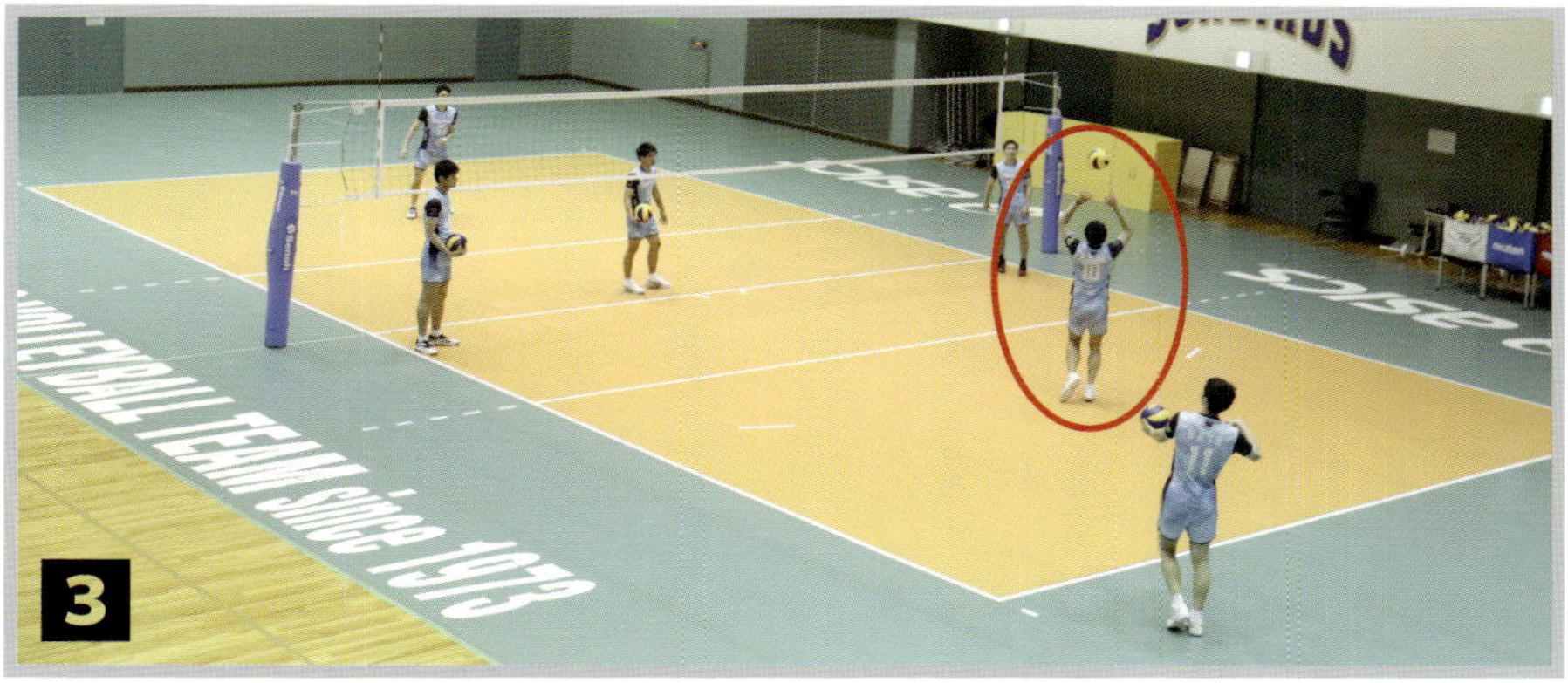

自分がディグしたボールを直上トスし、前衛のアタッカーに返す。
ディグ側のサーバーは逆サイドでサーブの準備をする

サーブレシーブ側の選手は逆サイドに移動しレシーブ。サーバーはコート中へディグの準備

サーブレシーブした選手は逆サイドへ。ディグ側からのサーブを受ける

Column

システムと本質

システムが崩れた時は状況に応じて対応

システムが崩れた時は、即座に判断して動く

ディグを成功させるためには、リベロ1人の能力だけではなく、サーブ、ブロックを踏まえたディフェンスシステムを構築し、組織で対応するかが大切だと述べてきた。しかし、バレーボールは相手ありきの競技。前もって戦術を立てていても、相手チームはそれに対応してくるので、自分たちの思い通りのシステムにはめていくことはそう簡単なことではない。

たとえば、ブロッカーが相手の攻撃に対して反応はしているが、遅れている時は、バレーボールはボールを落としてはいけないという本質を優先する。システムにこだわらず、今どんな状況なのかを即座に判断して動く。

いわば、組織によるシステムと個の判断による本質をうまく使い分けることが、鍵となる。

Part. 9

ディグ＆サーブレシーブ力がアップするトレーニング

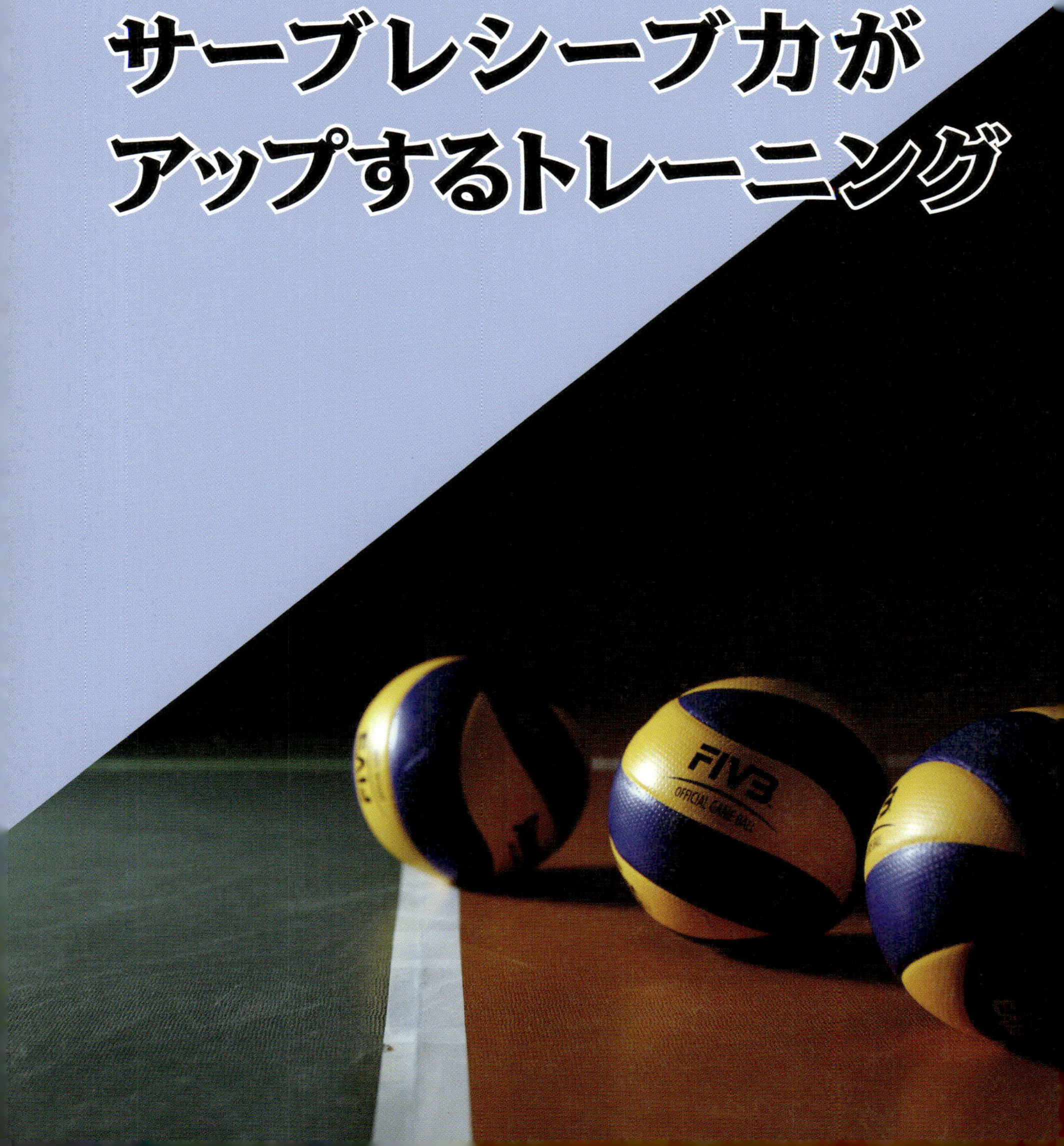

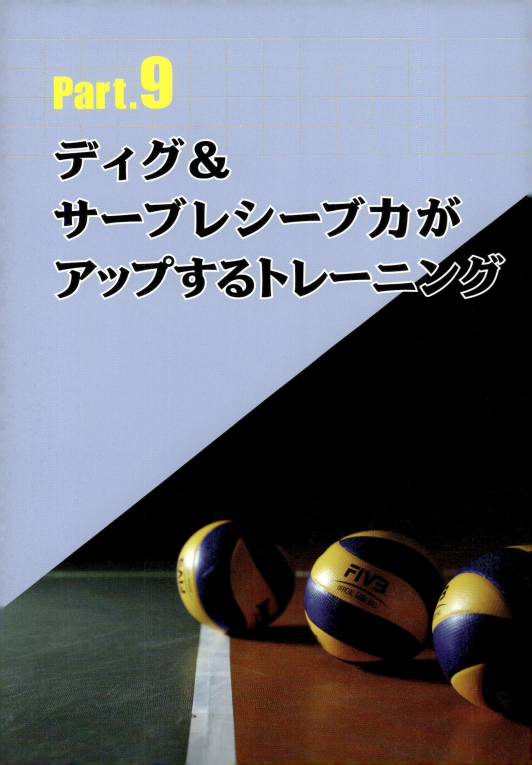

ポイント 45

臀部と太腿を強化

下半身の筋肉を意識して身体を固定する

両足は肩幅くらいに開いて
背筋を伸ばす

ディグやサーブレシーブなど低い位置のボールをとる際に必要な筋肉は、下半身の筋肉。主に臀部、太腿の前、太腿の後ろ（ハムストリングス）で、身体の中でも大きい筋肉だ。下半身の筋肉が弱いと、低い姿勢をした時に上半身もぶれてしまうため、下半身のトレーニングを中心に取り組んでいく。

威力のあるスパイクやサーブを受け止める時は、太腿の後ろを意識して身体を固定する。左右のボールに対して移動する時は、下腹部＝丹田をボールに合わせる意識で重心を運ぶ。

スクワットやランジのトレーニングを行う時も、この感覚を必ず意識することが大事。身体がぶれないように丹田を意識し、重心を移動させて負荷をかけていく。

コツ 01 下半身のベースを作るスクワット

ヒザを曲げるトレーニングだが、ヒザで身体を支えるのではなく、股関節を意識して太腿とお尻に力を入れて腰を落としていく。

つま先より前に出ない
ようにヒザを曲げる

下半身を少しずつ
下ろしていく

バーを肩の上に乗せ、
カカトをつけて準備

コツ 02 ジャンプスクワットでより負荷をかける

基本のスクワットの動きにより負荷がかかるのが、ジャンプスクワット。腕を振り上げて身体を持ち上げるための筋肉が必要となる。

両腕を頭の上へ、
真上にジャンプする

両腕を前方へもってくる

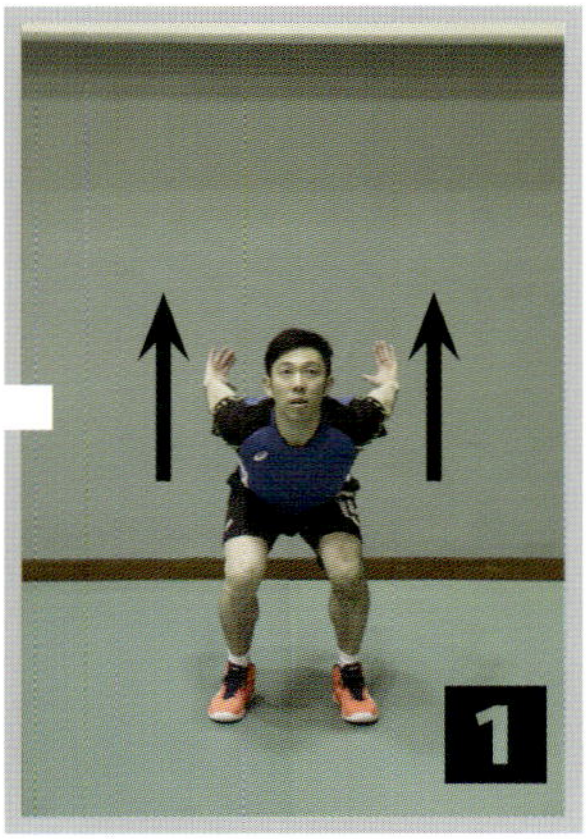

両腕を後方へ上げる

コツ 03 前後の可動域を広げる（ランジ）

低い姿勢から重心移動を意識できるのが、ランジトレーニング。前方だけではなく、後方に足を出すバックランジも行うとよい。

両手、両足をそろえた状態で構える

丹田を意識して重心を前へ

片足を前に出す

前に出した足を固定する

両手を下げて臀部、太腿に力を入れる

コツ 04 左右の可動域を広げる（サイドランジ左）

左右のディグやサーブレシーブを意識して行う。両手でアンダーハンドのカタチを作り、実戦でのプレーをイメージする。

スタート時は足をそろえる

片足を固定し、もう片方の足を左に出す

丹田を意識して重心移動を行う

コツ 05 左右の可動域を広げる（サイドランジ右）

股関節の可動域を意識して行う。足を出して固定した際は、臀部に力を入れて身体を支えているか、チェックしよう。

スタート時は足をそろえる

重心を移動する際、丹田を意識する

より深くヒザを曲げて負荷をかける

ポイント 46

腕と背中を強化
ボールに弾き飛ばされない上半身を作る

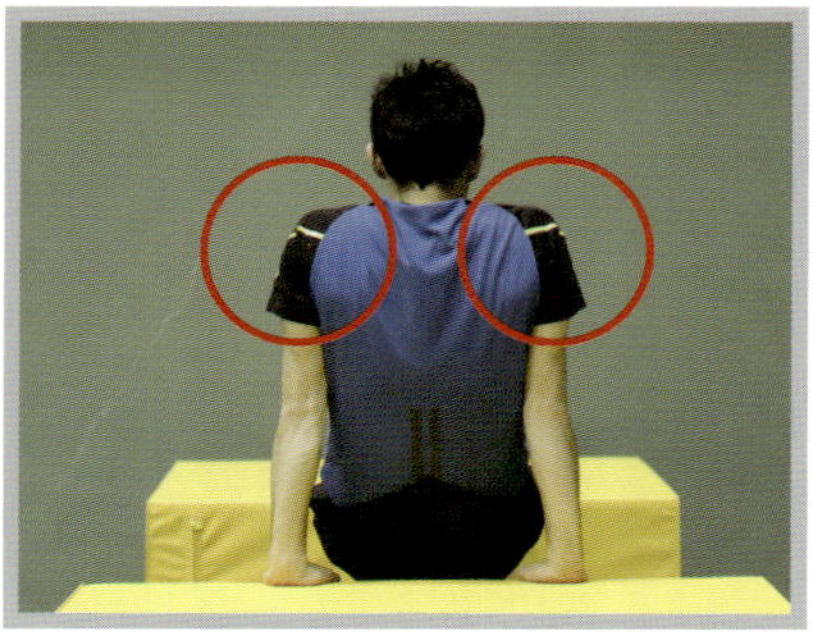

はじめは両手、両足を台や椅子に乗せた状態で、身体をキープするだけでも十分体幹のトレーニングにつながる。

腕の付け根を意識して体重を支える

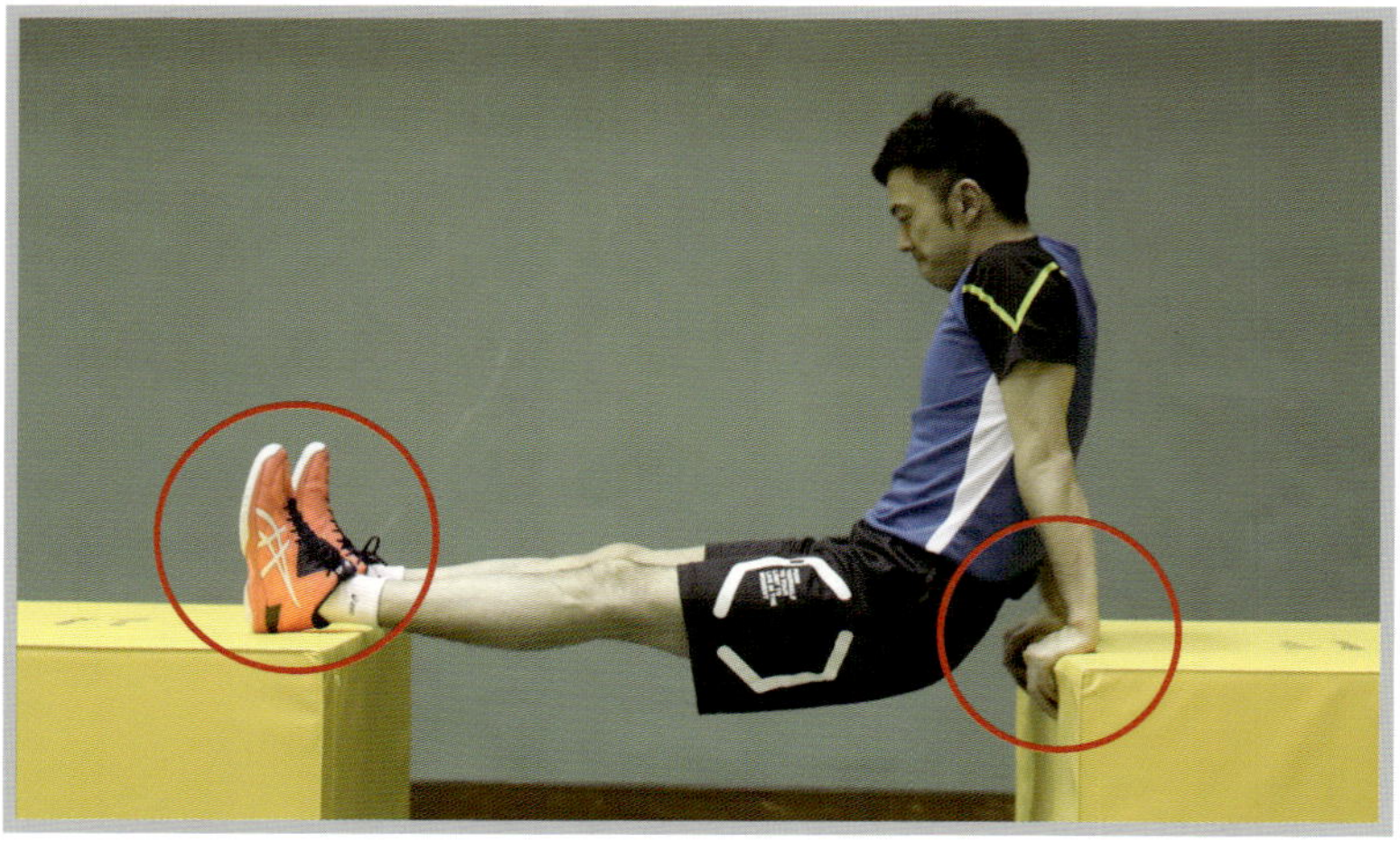

台などを使って両手と両足のカカトで身体を支える

上半身において重要なのは、ボールを受ける両腕を支える腕の付け根付近の上腕二頭筋と上腕三頭筋、背中の筋肉。強いボールがきても、腕を持っていかれずにボールに弾き飛ばされないためには、腕を頑丈な板として固定しなければならない。そのためには、肩周りの筋肉をしっかり鍛えて、板がぶれないようにする。

強いボールをコンタクトする際は、両腕を上げた状態で構え、肩甲骨を意識する。腕の力だけではなく上半身全体でボールをとらえて、ボールを自分の目の前に抑えるイメージを持つ。オーバーハンドのサーブレシーブやディグも、背中が丸くならないように注意して身体を起こしてボールを返す。

コツ 01 腕の付け根を鍛える

身体が安定するようになってきたら、ヒジを曲げて臀部を落としていく。

両足が曲がったり背中が丸まらないようにヒジを曲げていく

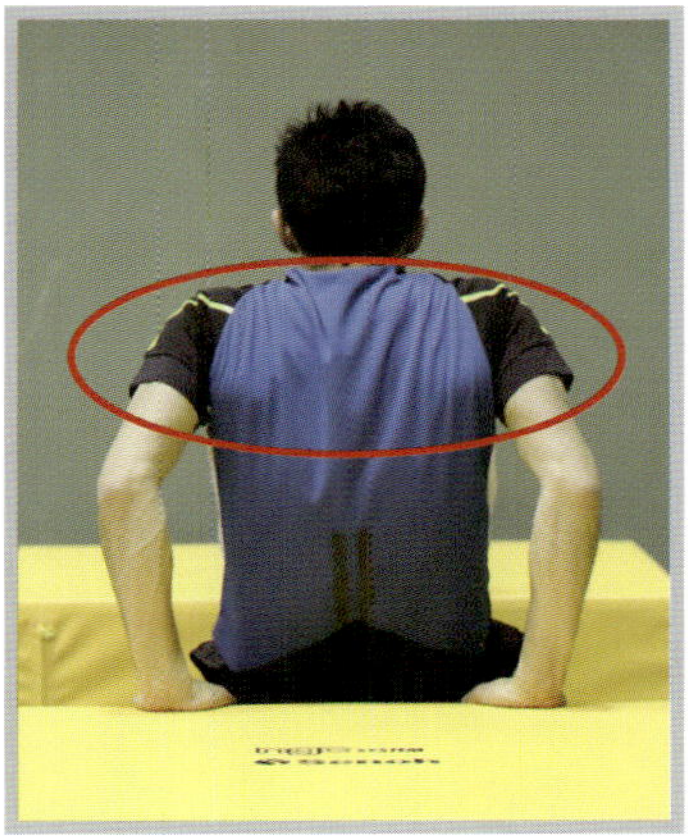

肩甲骨を締めるようにしてヒジを曲げる

背中全体で身体を支え、ヒジが 90度になるように臀部を落としていく

身体の重心を落とす時に肩甲骨を意識。上半身の柔軟性を高めよう。

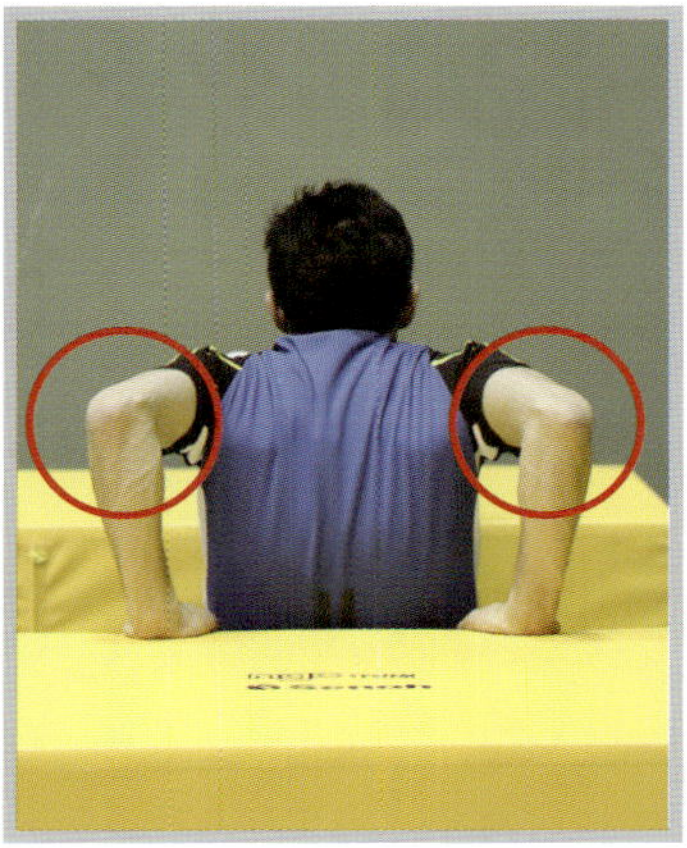

より深くヒジを曲げて、身体を支える

ポイント 47

アジリティを高める

一連の動作をより速くこなす

ラダーまたは床に印をつけて行う

リベロに必要なのは、身体をすばやく動かすための俊敏性や動きをコントロールするスピードだ。ラダーを床に敷き、マス目を利用し両足を小刻みに動かしていくアジリティのトレーニングで感覚を身につけていく。

ラダーの柄の部分に、両足がぶつからないようにする。正面を向き前後、横を向き左右に足を運ぶ。基本のステップがスムーズにできるようになったら、斜め前後や斜め左右など複雑なステップにチャレンジしていこう。

一連の両足の動作をより速くこなすためには、身体のバランスを安定させること。スピードを上げた状態でも決してふらつかないように注意して、身体を動かしていく。練習前のウォームアップとしての活用もおすすめしたい。

コツ 01 前後のステップを身につける

前方、後方と足を運ぶ。身体の軸がぶれていると、どちらかの動きに支障をきたす場合がある。動きにくい方向は克服しよう。

つま先で身体を支えて動く

1スペースずつ、
両足でステップを刻む

次のスペースに足を出す

コツ 02 左右のステップを身につける

身体を横向きにし、左右へ足を運ぶ。どちらのサイドも同じスピードで動けるようにする。

サイドへ足を運ぶ

1スペースずつ、
両足でステップを刻む

次のスペースに足を出す

Column

筋力トレーニング後にボール練習を行う

バレーボールに必要な筋肉

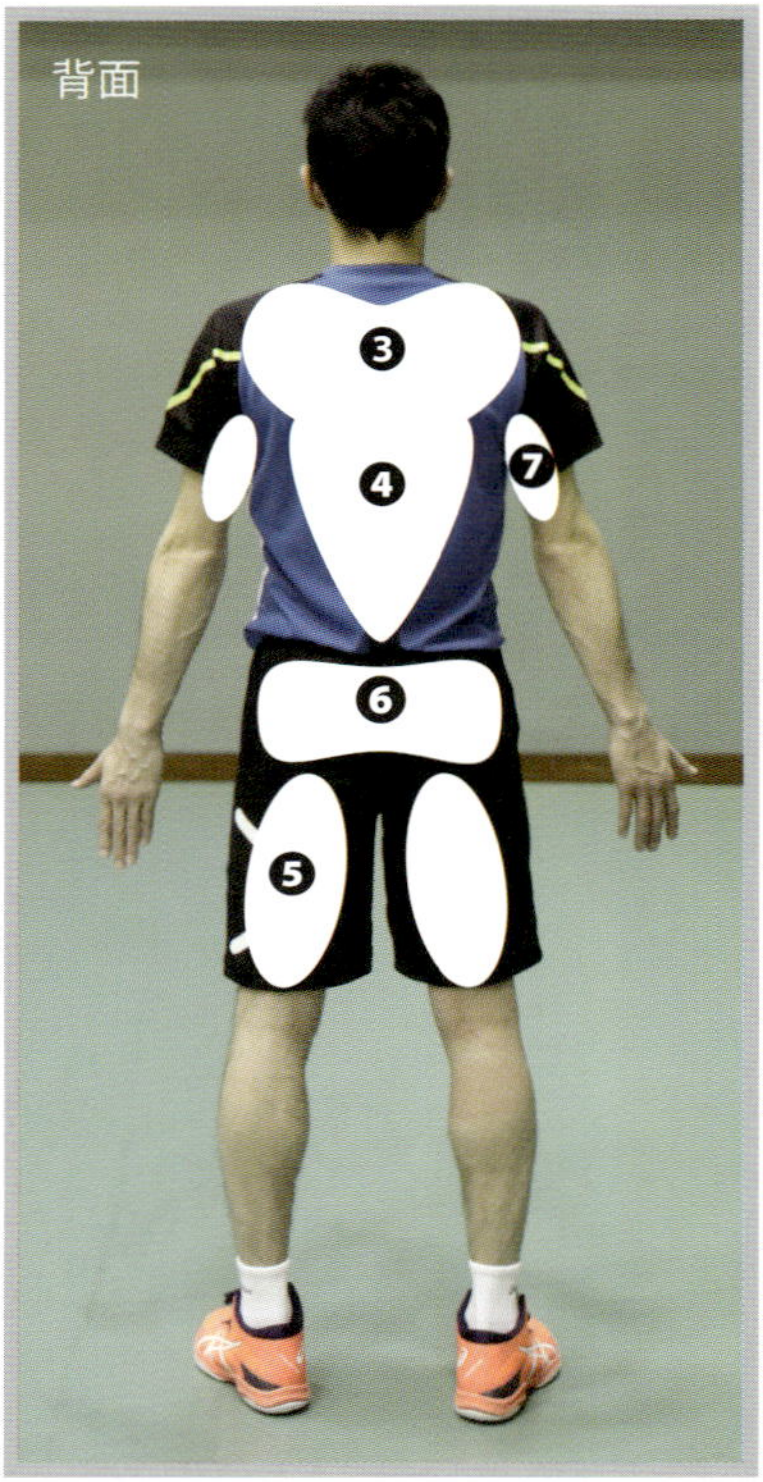

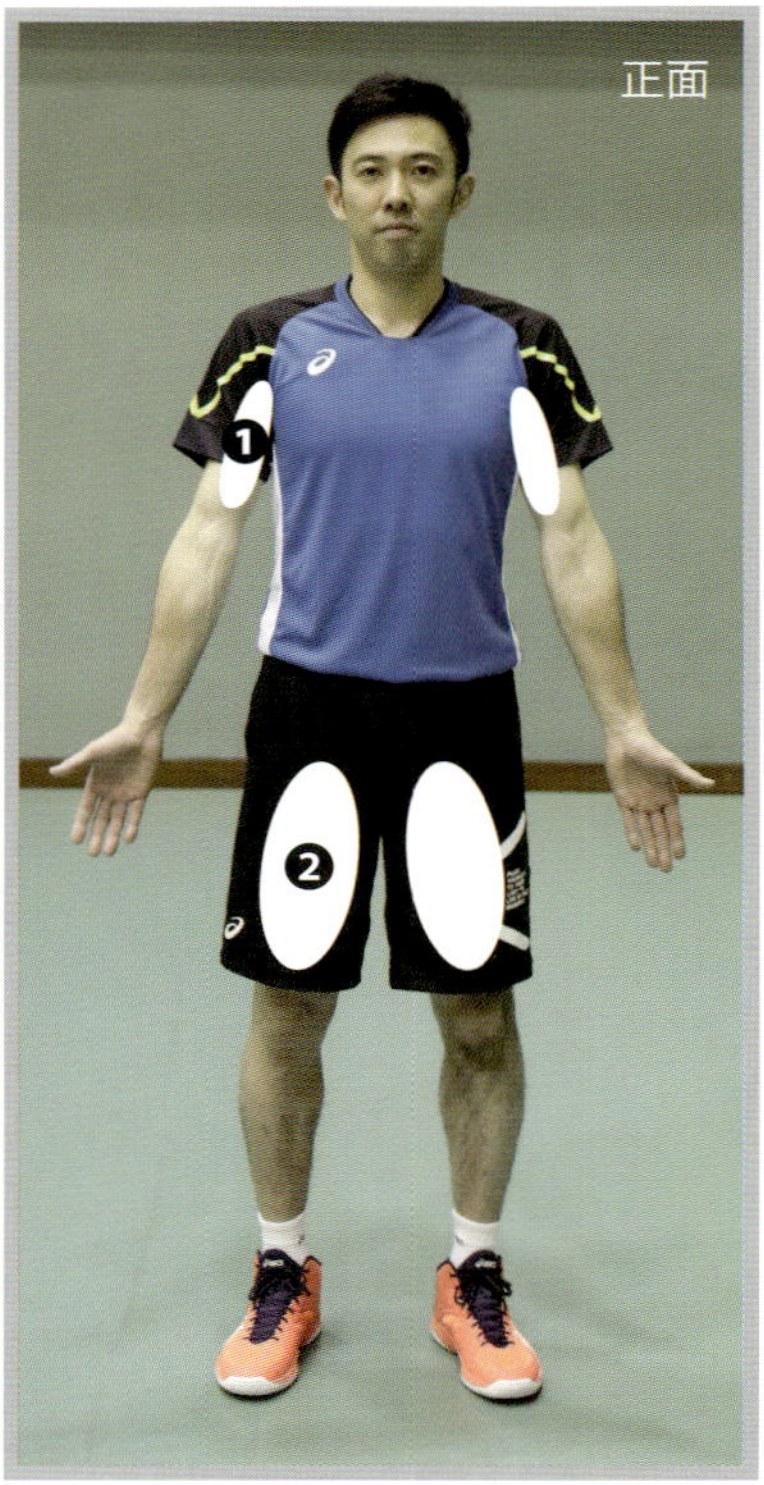

❸僧帽筋、❹広背筋、❺太腿の後ろ、❻臀部、❼上腕三頭筋

❶上腕二頭筋、❷太腿の前

バレーボールを行う上で、とくに必要な筋肉は、肩まわりと股関節まわりの筋肉だ。腕は上腕二頭筋、上腕三頭筋。上半身背面は主に僧帽筋、広背筋など。下半身正面は太腿の前、下半身背面は太腿の後ろ、臀部の筋力を高めていく必要がある。

フィジカルトレーニングを行っていくうえで段階がある。中学生のうちは、体幹を中心に身体全体をまんべんなく鍛える。成長していく中で、持久系、瞬発系、敏捷性をつけるための練習を取り入れて肉付けしていく。

フィジカルトレーニングにおいては、上半身と下半身の連動を意識する。筋力トレーニング後にラダーステップやボール練習を行うと、激しい動きの中で鍛えた筋肉をより意識することができる。

Part.10

リベロのルールQ＆A

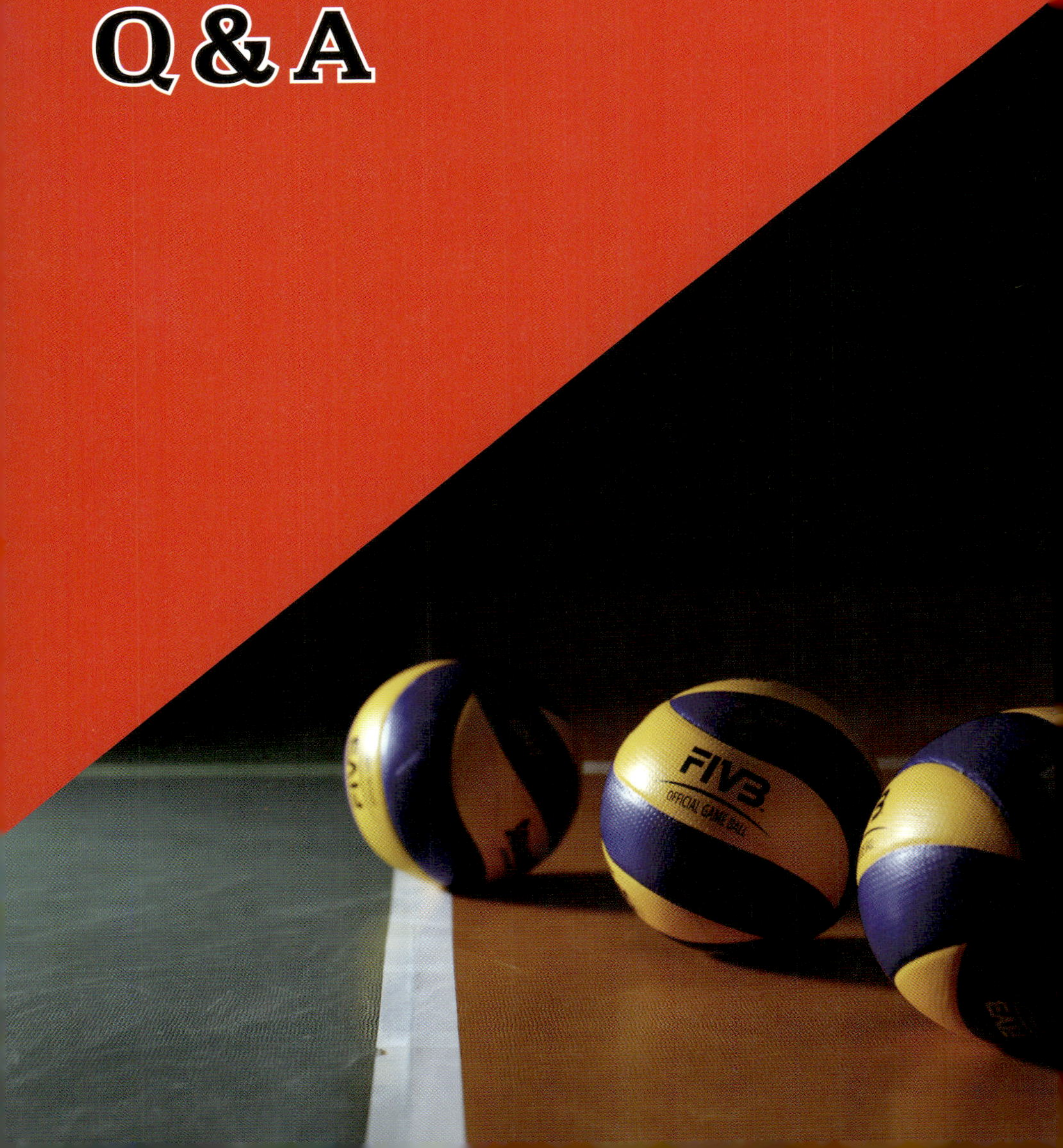

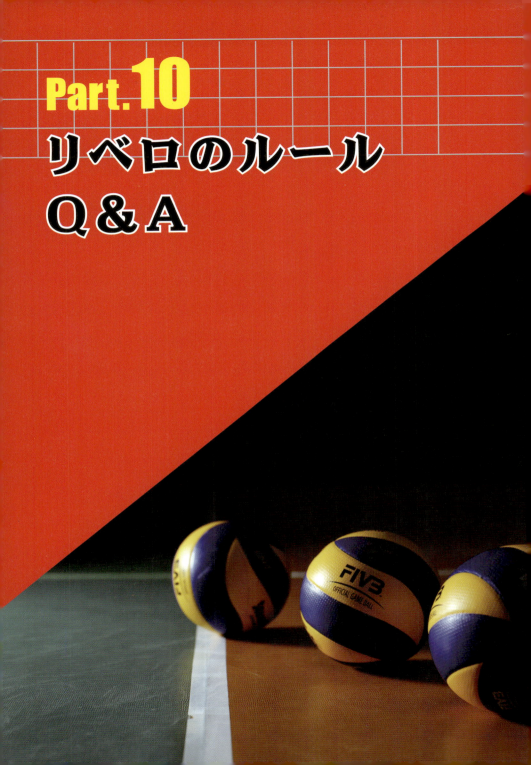

ポイント 48

リベロに関するルール①

プレーの制限と入れ替えを理解する

■プレーの制限

●いかなる場所（コートとフリーゾーン含む）からでも、ボール全体がネット上端より高い位置にある時はアタックヒットを完了されることは許されない。

●リベロは、サービス、ブロック、またはブロックの試みをしてはならない。リベロが自チームのフロントゾーン内で、指を使ったオーバーハンドパスで上げたボールは、他の選手がネット上端より高い位置からアタックヒットを完了することができない。リベロが自チームのフロントゾーン外で同じアクションをした場合には、自由にアタックヒットすることができる。

■入れ替えについて（リベロリプレイスメント）

●リベロリプレイスメントは、通常の選手交代には数えない。その回数に制限はない。しかし、（ラリーが完了せずにペナルティにより、リベロがポジション4にローテーションしなければならなくなったり、アクティングリベロがプレーできなかったりした場合を除き）、リベロリプレイスメントを2回行う場合は、新たなラリーが完了した後でなければ、次のリプレイスメントはできない。

●通常のリプレイスメントをする選手は、いずれのリベロとも入れ替わってコートに出入りすることができる。アクティングリベロが入れ替われるのは、もともと入れ替わっていた選手またはセカンドリベロのみである。

●各セットの開始時には、リベロは副審によるスターティングラインアップの確認が終わ

リベロがフロントゾーン内でオーバーハンドパスを上げても、
アタッカーは打つことができない。
フロントゾーン内ではアンダーハンドを使ってパスする

り、スターティングプレーヤーとのリプレイスメントを許されるまでコートに入ることができない。
●その他のリプレイスメントは、ボールがアウトオブプレーの状態で、サービスのホイッスルの前に限り行うことができる。
●リベロとその入れ替わる選手は、リベロリプレイスメントゾーンを通じてのみコートに出入りできる。
●リベロリプレイスメントは、リベロコントロールシートまたは（もし使用しているなら）e-スコアに記録される。

■不法なリベロリプレイスメント

●リベロリプレイスメントの間に完了したラリーがないとき。
●セカンドリベロや入れ替わった選手以外と入れ替わったとき。
●不法なリベロリプレイスメントは、不法な選手交代と同様とみなされる。
●不法なリベロリプレイスメントが次のラリーの開始前に発見された場合は、審判員により正しく直され、チームには遅延行為に対する罰則が適用される。
●不法なリベロリプレイスメントがサービスヒットの後に発見された場合は、不法な選手交代と同じ処置がされる。

「バレーボール６人制競技規則 2020 年度版」より一部引用。カテゴリーや大会によって、ルールが異なる場合があります。

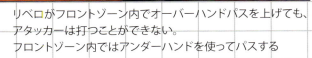

ポイント 49

リベロに関するルール②

リベロの再指名・退場・失格について把握する

■新しいリベロの再指名

●リベロは負傷や病気、退場、失格によりプレーすることができなくなることがある。

●監督または監督が不在の場合にはゲームキャプテンはいかなる理由であってもリベロがプレーできなくなったことを宣言することができる。

《リベロが1人のチーム》

●リベロが1人しかいなくなった場合や、1人しか登録されていない場合では、そのリベロがプレーできなくなった時やプレーできなくなったと宣言された時には、監督（監督不在の場合はゲームキャプテン）はその時点でコート上にいない（リベロを入れ替わった選手を除く）他の選手を、試合終了までリベロとして再指名することができる。

●もしもアクティングリベロがプレーできなくなった場合は、通常リプレイスメントする選手と入れ替わるか、直ちに直接再指名したリベロと変わることができる。この場合、再指名の対象となった元のアクティングリベロは、その試合の残りはプレーすることはできない。

●もしもプレーができなくなったと宣言した時にリベロがコート上にいない場合でも、再指名することができる。プレーできないと宣言されたリベロは、その試合の残りはプレーすることはできない。

●監督または監督不在の場合にはゲームキャプテンは、副審に再指名について申し出る。

●再指名されたリベロがプレーできなくなった場合には、さらにリベロを再指名することができる。

●監督がチームキャプテンを新たなリベロとして再指名することを求めた場合は、この

リベロが１人のチームはリベロが負傷した場合、リベロを再指名することができる

要求は認められるが、チームキャプテンはリーダーとしてのすべての権利を放棄しなければならない。

●リベロの再指名があった時は、再指名された選手の番号を記録用紙の備考欄とリベロコントロールシート（または使用しているならe-スコアに）に記録しなければならない。

《リベロが2人のチーム》

●2人のリベロが記録用紙に記入されているチームは、そのうちの1人がプレーできなくなっても、リベロ1人で試合することができる

●再指名は認められないが、もう1人のリベロも試合でプレーの続行ができなくなった場合は、この限りではない。

■リベロの退場または失格

●リベロが退場または失格となった場合は、直ちにセカンドリベロと入れ替わることができる。もしもチームに1人のリベロしかいない場合は、再指名することができる。

「バレーボール６人制競技規則 2020 年度版」より一部引用。カテゴリーや大会によって、ルールが異なる場合があります。

ポイント 50

もしも…の時に役立つ！

リベロのルールQ＆A

Q1

2人の選手が相手のアタックヒットに対して、ネット際でジャンプしブロックを試みた。その中でリベロもジャンプしたが、リベロの身体の一部がネット上端より高い位置にあることはなかった。これは反則か？

A1

反則ではない。ジャンプの間、リベロの身体の一部がネット上端より高い位置にあることはなかったため、リベロのジャンプはブロックの試みとはみなされない。

Q2

ポジション1の選手とリベロが、サービス許可のホイッスルとサービスヒットの間に、リプレイスメントを行った時は続行か？中断か？

A2

試合を通じてこのリプレイスメントが初めて行われたのであれば、主審はこのラリーを継続させる。ラリー終了後に主審は、ゲームキャプテンにこのリプレイスメントは許された手続ではないと伝える。再発した場合は、ラリーを直ちにとめ、遅延行為に対する罰則を適用する。しかし、このリベロリプレイスメントは有効である。もしも、リプレイスメントがサービスヒットの後に行われた場合は、主審はポジションの反則としてホイッスルをするべきである。

Q3

リベロが体調不良を訴えた。リベロの再指名は認められるか？

A3

チームにリベロが2人おり、アクティングリベロが負傷や病気の場合、セカンドリベロと入れ替えることができる。チームに1人しかリベロがいない場合、またはセカンドリベロがコート上でプレーできなくなった場合は、再指名の手続きにより入れ替わることができる。

Q4
リベロが監督であることは可能か?

A4
可能。ルールでは、リベロはチームキャプテンにもゲームキャプテンにもなれないと記載されている。ルールはリベロが監督であることや監督制限ライン後方からチームに指示を出すことを禁じていない。

Q5
チームキャプテンが記載されているラインアップシートがすでにスコアラーに提出されていて、公式練習中に、チームに1人しかいないリベロが負傷した。チームキャプテンが新しいリベロとなることは可能か?

A5
可能。リベロがチームキャプテンにもゲームキャプテンにもなれないことは事実であるが、チームキャプテンがキャプテンとしてのすべての権利と責務を放棄するのであれば、再指名されたリベロとしてプレーすることはできる。チームキャプテンはすでにラインアップシートに記載されているので、再登録や再指名の手続きを行う。新しいリベロは、リベロ用のユニフォームに着替えるか、ビブスやジャケットを自分のユニフォームの上に着る。

Q6
試合中にリベロが負傷し、新しいリベロが再指名された。負傷したリベロは試合の残りの間、ベンチに座っていたが、問題あるか?

A6
問題ない。チームに対しての障害や危険をもたらすことがないため、ベンチにいることは認められる。

「バレーボール6人制競技規則2020年度版・ケースブック」より一部引用。
カテゴリーや大会によって、ルールが異なる場合があります。

SUNTORY
19

監修
元全日本男子チームリベロ
酒井大祐　さかいだいすけ

福島県原町市（現・南相馬市）出身。小学2年からバレーボールを始め、相馬高、東海大学に進学。大学1年からリベロへ転向した。卒業後はJTサンダーズに入団し、2004年ユニバーシアード代表、2010年世界選手権、2015年ワールドカップで全日本の守護神として活躍。その後、サントリーサンバーズに入団。長期活躍選手としてVリーグ栄誉賞、ベストリベロ賞、サーブレシーブ賞を受賞してきた。2018年5月に現役を引退。サントリーサンバーズコーチを経て2020年から大阪商業大学男子バレーボール部監督を務め、2021年よりジェイテクトSTINGSのコーチに就任。指導の道を歩んでいる。

■モデル
サントリーサンバーズ
（左から）
鶴田大樹
藤中謙也
秦　耕介
酒井大祐
加藤久典
松林憲太郎
喜入祥充

■制作スタッフ
撮　　影：平野敬久
デザイン：吉田圭子
編　　集：株式会社ギグ
編集協力：吉田亜衣
トレーニング衣装協力：アシックス

VLAP-2017-069

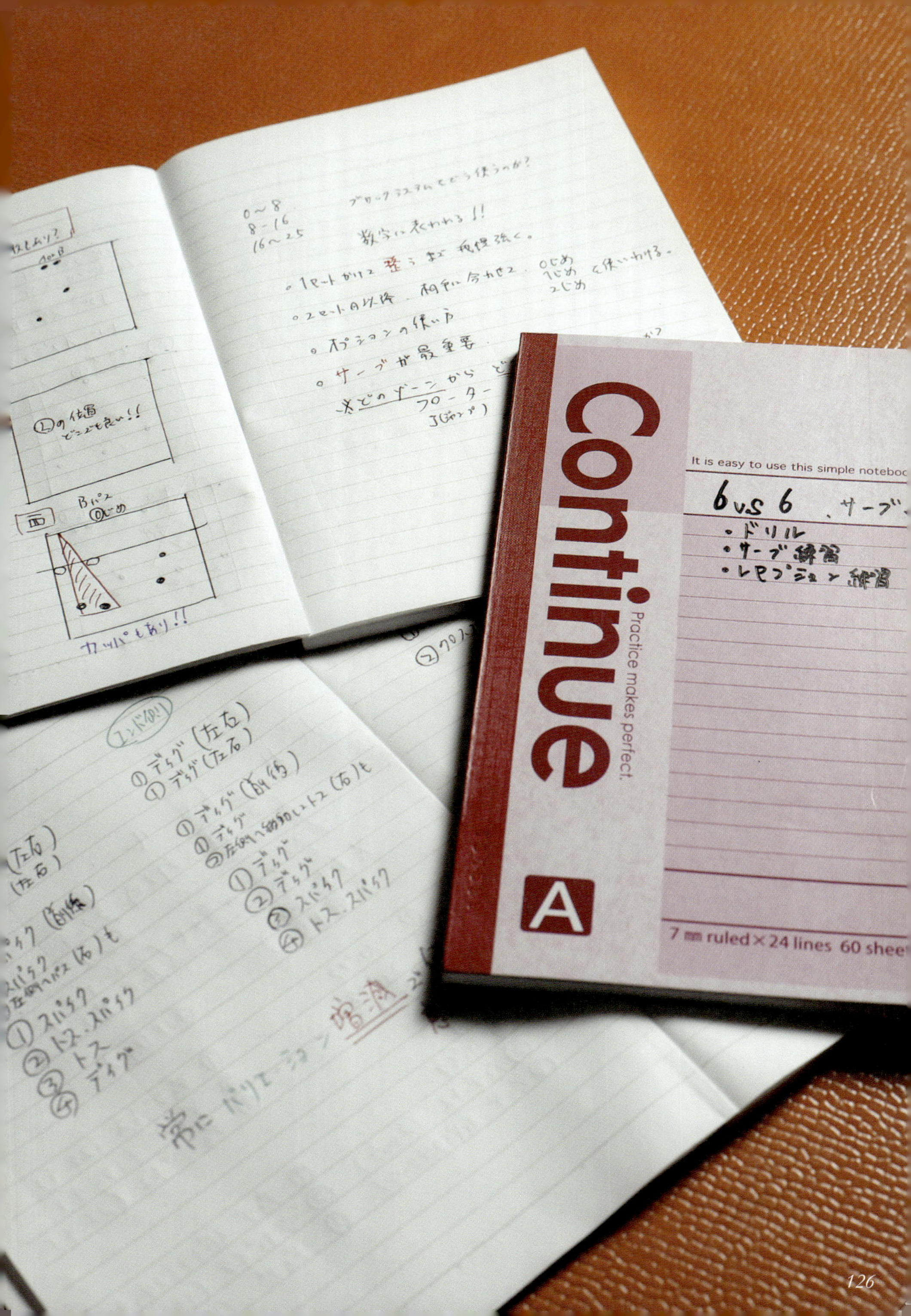
Continue
Practice makes perfect.
It is easy to use this simple noteboo
6 vs 6 、サーブ
・ドリル
・サーブ練習
・レセプション練習
A
7 mm ruled × 24 lines 60 shee

おわりに

現役を引退するまで、多くの方々に支えられ、Vリーグというトップの舞台でバレーボールをやらせてもらいました。試行錯誤しながら乗り越えてきた15シーズンでしたが、今ではリベロというポジションをやらせていただき、心から感謝しています。

この本でまとめたものは、あくまでも参考例です。当てはまる方もいれば、もしかしたら合わない方もいるかもしれません。それでもこの本には、試合に出るために必要なこと、結果を出すために向き合わなければいけないこと等、私が現役時代、大事にしてきたものをまとめました。

バレーボールで結果を残したいという皆さんには、「今よりよくなるためには、何をすればいいのか?」を毎日、考えてみてください。わからなければ、聞いてみましょう。そして試してみましょう。自分の頭や心で物事をとらえて、やると決めたら、やってみましょう。

それはもしかしたら回り道かもしれないけど、たとえ時間がかかってもゴールにたどり着くかもしれない。それはやった自分にしかわかりません。本当に大事なのは結果ではなく、過程です。

それはまさに、ボールをつなぐというバレーボールの競技性と同じではないでしょうか。ディグは、ボールがきた瞬間に勝負が決まるのではなく、仲間が打つサーブやブロックまでの過程で決まります。目の前のことに全力を尽くすことが、結果的にチームワークを生み出し、得点につながるのです。その中心となるのが、リベロというポジション。日々の練習を大切にし、仲間を大切にし、コミュニケーションの使い手となり、コート上の監督になってください。リベロの皆さんがこの本を読んで、今以上にバレーボールが面白くなるような手助けになれば、幸いです。

酒井大祐

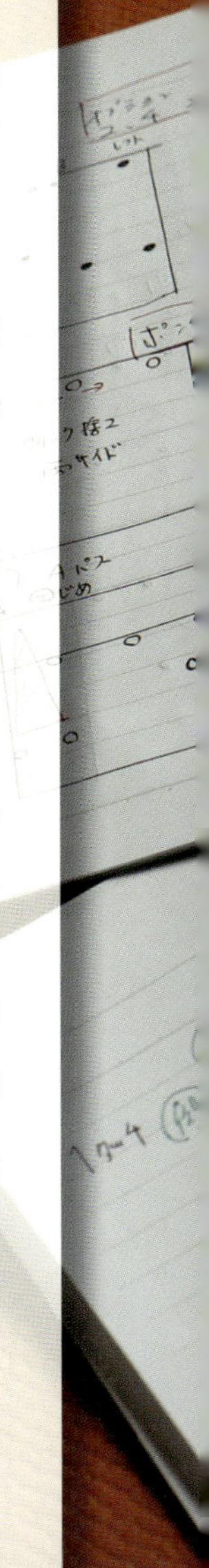

絶対拾う! つなげる! バレーボール　リベロ
必勝のポイント 50　新装版

2022年3月20日　　　第1版・第1刷発行

監修者　　酒井　大祐（さかい　だいすけ）
発行者　　株式会社メイツユニバーサルコンテンツ
代表者　　三渡　治
　　　　　〒102-0093 東京都千代田区平河町一丁目 1-8
印　刷　　株式会社厚徳社

◎『メイツ出版』は当社の商標です。

●本書の一部、あるいは全部を無断でコピーすることは、法律で認められた場合を除き、
　著作権の侵害となりますので禁止します。
●定価はカバーに表示してあります。
© ギグ,2018,2022.ISBN978-4-7804-2594-9 C2075 Printed in Japan.

ご意見・ご感想はホームページから承っております。
ウェブサイト　https://www.mates-publishing.co.jp/

編集長：堀明研斗　企画担当：堀明研斗

※本書は2018年発行の『絶対拾う! つなげる! バレーボール リベロ 必勝のポイント 50』を元に、
　必要な情報の確認と装丁の変更を行い、新たに発行したものです。